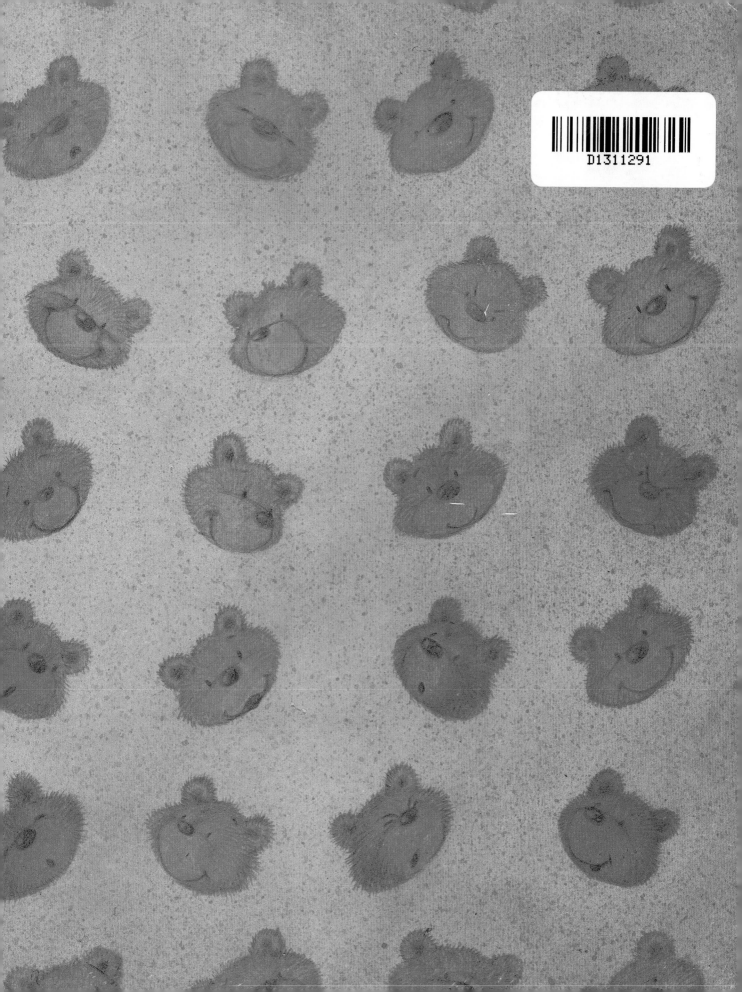

Ce livre appartient à :

_____

Prends soin de ce livre !

_____

© 2004 Coppenrath Verlag, Münster
pour l'édition originale parue sous le titre : «*Das dicke Bärenbuch*»
Le copyright des textes : voir auteurs et/ou éditions originales.

Nous remercions tous les auteurs et les maisons d'édition de leur aimable autorisation pour l'impression de ce livre.
Malheureusement, il ne nous a pas été possible de retrouver tous les propriétaires des droits ;
tous les droits restent leur propriété.

© 2005 Hemma, pour l'édition en langue française.
Adaptation française : Valérie Crate
Tous droits réservés.

Dépôt légal : 0305/0058/059
N° d'impression : 6120.0410

Imprimé en Chine et importé par Hemma
106, rue de Chevron - 4987 Chevron - Belgique - hemma@hemma.be

Le grand livre des OURS

Les plus beaux contes et poèmes d'ours

D'après une idée de Nicola Dröge & Anniko Güte.

Illustrations de Wahed Khakdan.

Adaptation française de Valérie Crate.

Éditions Hemma

SOMMAIRE

UNE CHANSON POUR MAMAN OURS

ans la forêt, un petit ours était en train de sautiller gaiement en chantant à tue-tête : *Tra-la-la-la-***grrr** !

– Que chantes-tu donc là ? demanda un merle du haut de sa branche.

– C'est ma chanson à moi ! s'exclama fièrement le petit ours. Ma chanson pour maman ours. Je l'ai inventée tout seul. C'est pour lui faire une surprise. Elle est jolie, non ?

Le merle réfléchit un instant.

– Pas vraiment... Ta chanson manque de notes aiguës. Écoute bien...

Le merle ouvrit grand le bec, et mille et un sons cristallins virevoltèrent dans le ciel de printemps. Le petit ours écoutait, bouche bée.

Le chant du merle finit par s'évanouir.

– Tu vois, tu dois t'exercer encore un peu, lui conseilla le merle. Puis il déploya ses ailes et s'envola.

Le petit ours le regarda disparaître. C'était décidé, il allait s'entraîner. Maman ours méritait une belle chanson. D'un pas lent, il poursuivit son chemin en s'exerçant : *Tra-la-la-la-***grrr** !

Un lièvre qui passait à toute vitesse s'arrêta net.

– Que chantes-tu donc là ? demanda-t-il.

– J'essaie d'inventer une belle chanson, répondit le petit ours, peu sûr de lui.

– Hmm… Intéressant ! Mais une chose est essentielle dans une chanson, dit le lièvre en tapant de la patte, le rythme ! Écoute bien...

Et tout en continuant à frapper le sol, le lièvre joua du tam-tam sur son ventre et fit tournoyer ses oreilles, si bien que le petit ours fut pris de vertige.

Le lièvre finit par être à bout de souffle.

– Tu vois, tu dois t'exercer encore un peu ! dit-il en haletant. Puis il rabattit les oreilles et démarra en trombe.

Le petit ours soupira. Il n'avait plus aucune envie de s'entraîner. Mais il le fallait bien. Alors, il poursuivit son chemin d'un pas lourd en fredonnant d'une toute petite voix : *Tra-la-la-la-***grrr** !

Soudain, un grand cerf apparut.

– Que chantes-tu donc là ? demanda-t-il.

– Je me le demande bien… se lamenta le petit ours. Je voulais inventer une chanson.

– Mais… une chanson doit être interprétée à voix haute ! C'est le plus important, lui dit le cerf en fronçant les sourcils. Il inspira profondément et brama tant et si bien que les arbres frémirent de toutes leurs feuilles, et que le petit ours en eut mal aux oreilles.

Le cerf finit par s'enrouer.

– Tu vois, tu dois t'exercer encore un peu, dit-il d'une voix rauque.

Puis il redressa fièrement la tête et passa son chemin en se pavanant. Tout triste, le petit ours se laissa tomber dans l'herbe.

– Ça ne sert à rien de m'exercer, pensa-t-il. Ma chanson est trop bête pour l'offrir à maman ours. D'ailleurs, c'est même pas une chanson ! Furieux, il lança une pomme de pin sur un tronc d'arbre, mais cela ne l'aida pas à se sentir mieux. Le petit ours prit son visage dans ses pattes et se mit à pleurer.

– Pardon !

Le petit ours releva tout doucement la tête. Devant lui se tenait un autre petit ours. Il avait mis sa patte derrière l'oreille comme s'il écoutait attentivement quelque chose. Tout était pourtant calme aux alentours.

– Je cherche une chanson, expliqua l'autre ours. Quelqu'un la chantait tout à l'heure. Mais maintenant, on ne l'entend plus, c'est dommage.

Le petit ours acquiesça :

– C'était sûrement une chanson avec des notes très aiguës qui dansaient là-haut avec les nuages, dit-il en montrant le ciel.

– Non, fit l'autre ours en hochant la tête, ce n'était pas une chanson comme ça.

– Alors, c'était une chanson au rythme endiablé qui faisait trembler le sol.

– Non, répondit l'autre ours, ce n'était pas ça non plus.

– Ah ! Je sais ce dont tu veux parler. C'était une chanson aussi assourdissante que le tonnerre.

– Non, ce n'était pas du tout ça, dit l'autre ours. C'est bien dommage que je ne puisse pas la retrouver, elle était si jolie. Il tourna les talons.

– Attends ! fit le petit ours. Ce ne serait pas cette chanson-ci, par hasard ?

Et, tout doucement, il entonna sa chanson.

– Si ! s'écria l'autre ours, ravi. C'est exactement ça !

– Et tu la trouves vraiment jolie ? demanda le petit ours, incrédule.

– Magnifique ! s'exclama l'autre ours.

La joie envahit le cœur du petit ours.

– C'est une chanson pour maman ours, expliqua-t-il. Il réfléchit un instant puis son visage s'illumina.

– Cette chanson peut très bien servir pour deux mamans ours. Si tu veux, je te l'apprends.

– Oh, oui ! s'écria l'autre ours. Comme ça on pourra faire une surprise à nos mamans ours en chantant en duo !

Frauke Nahrgang

10

L'OURS QUI ÉTAIT BEAUCOUP TROP GRAND

rthur, un énorme ours en peluche était assis là, par terre, dans un coin de la chambre… et il était tout triste.

Pourquoi a-t-il donc fallu que je sois si grand ! pensait-il. Moi aussi, j'aimerais pouvoir m'asseoir sur l'étagère de Tom, à côté des autres jouets. Mais elle est beaucoup trop petite pour moi.

Et je suis aussi trop grand pour pouvoir aller dans le lit de Tom ou pour qu'il m'emmène avec lui.

Vais-je toujours devoir rester dans ce coin à ne faire que regarder ? Je ne sers à rien et personne ne m'aime.

En plus, quand les amis de Tom viennent et qu'ils font les fous, ils me marchent dessus. Vous croyez que ça m'amuse ?

Mais un jour, alors que le très grand ours était assis tout tristement dans son coin comme d'habitude, il entendit un léger ronronnement : rrron-rrron !

Puis il sentit deux pattes toutes douces sur sa jambe et des moustaches le chatouiller. Ensuite, il vit apparaître deux petites oreilles pointues, puis deux grands yeux brillants qui le fixaient avec curiosité.

C'était Pelote, le chaton.

– Je peux m'installer sur toi ? demanda Pelote.

– Bien sûr ! répondit Arthur. Tu n'as rien à craindre.

Alors Pelote grimpa sur lui avec précaution puis, comme tous les chats, fit quelques tours sur lui-même avant de se blottir confortablement contre la fourrure moelleuse du ventre de l'ours.

– Je me sens bien ici , dit le chaton en ronronnant. Il y a tellement de place sur toi. Est-ce que je peux dormir là ?

– Oui, oui ! répondit Arthur en souriant de bonheur.

Et depuis lors, Pelote revient tous les jours dormir à son endroit préféré : le très **grand** ventre de son très **grand** ami l'ours.

Sally Grindley

L'HISTOIRE DE L'ARBRE À MIEL

– **S**alut ! Tu cherches quelque chose, petit ours ? demanda la lune.

– Oui ! répondit le petit ours sans même regarder son amie la lune, mon pot de miel. Il était encore là ce matin.

– Eh bien réfléchis à ce que tu as fait en premier ce matin, conseilla la lune.

– Une tartine de miel, dit le petit ours.

– Et ce midi ?

– Euh… une autre tartine de miel, répondit le petit ours. Mais après, j'ai caché le pot de miel pour que personne ne le trouve.

– Ah, bon ! fit la lune en souriant. Les écureuils font parfois ça aussi. Ils cachent leurs noisettes quelque part dans la forêt, puis ne les retrouvent plus eux-mêmes. Et sais-tu alors ce qui se passe l'année suivante ?

– Non. Quoi donc ?, demanda le petit ours.

– Des arbres poussent, expliqua la lune, exactement là où les écureuils ont perdu leurs noisettes. Et quelques années plus tard, ces arbres donnent des noisettes et cela fait plaisir aux écureuils.

– Moi aussi, ça me ferait plaisir s'il poussait un arbre à pots de miel, dit le petit ours.

– Ou alors un arbre à tartines de miel, proposa la lune.

– Oh, oui ! s'exclama le petit ours. Et j'inviterais le lièvre et tous mes amis à manger des tartines de miel.

– Mais où s'assoiraient-ils tous ? demanda la lune. Tu n'as que deux chaises.

– Tu as raison, dit le petit ours, mais je pourrais en perdre une et alors un arbre à chaises pousserait et tout le monde aurait de quoi s'asseoir.

– Et peut-être qu'un jour tu pourrais aussi perdre ta couverture bleue parsemée d'étoiles, remarqua la lune, et quand un arbre à couvertures viendrait à pousser, je pourrais en cueillir une et nous ressemblerions à des jumeaux.

Rolf Fänger

LA LÉGENDE DE L'OURS VOYAGEUR

En sillonnant le pays, un jeune ours voyageur arriva, un jour, au château du roi des ours. En traversant le parc, il aperçut la princesse des ours. « Comme elle est belle » pensa-t-il. Il décida alors de l'épouser.

Les autres ours se moquèrent de lui :

– Mais tu ne peux pas épouser une princesse. Tu n'es qu'un ours ordinaire.

– Je ne vaux pas moins que la princesse, répondit l'ours voyageur.

Il s'en alla aussitôt au château et entra dans la salle du trône. Comme le roi n'avait rien à faire à ce moment-là et qu'il s'ennuyait, il le reçut plutôt aimablement.

– Ah, bon ! dit le roi des ours, tu veux te marier avec la princesse ?

– Oui, c'est mon vœu le plus cher, répondit le jeune ours.

16

– Et qu'est-ce que tu sais faire ? s'enquit le roi des ours.

– Je sais… dit l'ours voyageur … je sais grimper aux arbres.

– Tous les ours savent faire ça, répondit le roi des ours.

– Je sais pêcher des poissons, dit l'ours voyageur.

– Ne me parle pas de pêcher ! cria le roi des ours. J'ai horreur du poisson.

– Je peux… continua l'ours voyageur … je peux aller recueillir du miel pour vous, autant que vous en voulez.

Le roi hocha la tête.

– Tout cela n'a rien de particulier, grogna-t-il. Si tu veux épouser la princesse, tu dois me rapporter un petit sac de noix magiques. Sois de retour dans trois jours. Et malheur à toi si tu n'as pas trouvé ces noix !

L'ours voyageur n'avait encore jamais entendu parler de noix magiques, et ne savait pas non plus où en trouver. Il se mit quand même en route. Il marcha un jour, puis deux, et chercha sous tous les noyers. Mais il ne trouva pas une seule noix magique.

Le troisième jour se leva. Vous croyez sûrement que l'ours voyageur devait être dans tous ses états. Eh bien, pas du tout ! Il réfléchit calmement puis remplit son petit sac de noix ordinaires et retourna au château.

Le roi convoqua immédiatement la cour tout entière. Le grand chambellan prit un casse-noix en or, brisa une première coquille… mais il n'en sortit qu'une noix ordinaire. Le roi fit casser une deuxième noix, puis une troisième, une quatrième et une cinquième. Aucune n'était magique.

– Coquin ! Fripouille ! hurla le roi. Ce sont là des noix tout à fait ordinaires. On en trouve par milliers dans mon royaume.

– C'est exact ! répondit l'ours voyageur, ces noix sont tout à fait ordinaires. Mais réfléchissez donc un peu : elles poussent sur des arbres, la nature leur donne une coque dure et elles sont délicieuses à manger. N'est-ce pas déjà prodigieux ?

Tous acquiescèrent. Et la princesse s'écria :

– Il a raison ! C'est l'ours le plus intelligent qu'il m'ait été donné de rencontrer. Je veux l'épouser.

Et comme la princesse des ours obtenait toujours ce qu'elle voulait, elle épousa l'ours voyageur.

Tilde Michels

19

QUAND MONSIEUR L'OURS RENTRE CHEZ LUI

Quand monsieur l'ours rentre chez lui,
Toute la famille se réjouit
Car il ramène toujours du miel,
Et parfois d'autres choses aussi.

Quand monsieur l'ours a très sommeil
Alors il monte se coucher,
Et madame l'ourse quand il s'endort
Lui lit son livre préféré.

Quand monsieur l'ours croise des amis,
De son chapeau, il les salue.
Puis répond : « Mais… très bien, merci. »
Quand ils demandent : « Comment vas-tu ? »

Quand monsieur l'ours prend la parole
Cela présage un bon moment
Car, histoire triste ou histoire drôle,
C'est sûr, ce sera captivant.

Quand monsieur l'ours va se baigner
Sa femme aussi met son maillot.
Et quand quelqu'un leur rend visite
C'est à trois qu'ils se jettent à l'eau.

Quand monsieur l'ours part en voyage,
Alors il remplit ses valises
De linge propre, de provisions
Et d'une montagne de friandises.

Quand monsieur l'ours dans son frigo
N'a rien à se mettre sous la dent,
Il sort chercher de quoi manger
Ou va trouver sa p'tite maman.

Quand monsieur l'ours se retrouve seul,
Alors il vient me saluer
Un pot de miel, une cruche d'eau fraîche
Et c'est parti pour le goûter !

Quand monsieur l'ours fait une balade,
Il aime siffler des chansons scoutes.
Hélas ! Il n'en connaît qu'une seule
Qu'il répète au long de la route.

Frantz Wittkamp

UN OURS, ÇA NE SAIT PAS NAGER.

Édouard l'ours, par une magnifique journée d'été, était allongé dans son hamac. Alors qu'ils se rendaient à la plage, ses amis passèrent le voir.

– Tu viens nager avec nous, Édouard ? demandèrent-ils.

– Non, non ! répondit Édouard l'ours. Un ours, ça ne sait pas nager.

– Nous avons emporté des tartines de miel, dirent ses amis.

– Des tartines de miel ? répéta Édouard l'ours. Formidable ! Attendez-moi, je vais vite chercher mon vélo.

Edouard l'ours irait n'importe où… pourvu qu'il y ait des tartines de miel. Ils s'en allèrent donc tous ensemble à la plage.

Une fois arrivés, Édouard l'ours étendit sa couverture sur une dune de sable, s'y installa confortablement et commença à s'empiffrer de tartines de miel.

– J'adooore les tartines de miel ! dit Édouard l'ours en mâchant bruyamment.

– Mais quel dommage qu'elles soient si vite mangées ! soupira-t-il.

Puis il s'endormit.

Dans l'eau, les amis d'Édouard l'ours s'amusaient beaucoup. Ils ne remarquèrent pas qu'Édouard se retournait brusquement dans son sommeil…une fois… puis une deuxième… et encore… et encore… jusqu'à ce que soudain…

plouf ! Édouard tombe dans l'eau.

– Au secours ! cria Edouard l'ours. Les ours ne savent pas nager ! Quoique… une minute… il me semble… mais si ! les ours savent nager !

Et Édouard nagea. Il nagea et il plongea. Et il se rendit compte que nager, il trouvait ça aussi chouette que… eh bien, oui... que manger des tartines de miel !

Il nagea et fit la planche toute la journée… si bien qu'il nageait encore quand il était plus que temps de rentrer chez lui.

Depuis ce jour, Édouard va nager aussi souvent qu'il le peut. Et quand vient l'hiver, il va nager à la piscine.

– Ça alors ! s'étonne-t-il encore parfois, je n'aurais jamais cru que les ours puissent nager.

Mais le plus chouette, c'est que maintenant Édouard l'ours peut manger des tartines de miel… même en nageant !

Mathew Price

L'OURS BRUN DANS LA BAIGNOIRE

n se levant ce matin-là, la famille Hubert l'a trouvé là, assis dans la baignoire ! Il s'était coiffé du bonnet de douche de madame Hubert et se frottait le dos à la brosse avec délice. Quelle frayeur pour madame Hubert, monsieur Hubert et Stella ! C'est vrai, après tout, ce n'est pas tous les jours qu'on tombe sur un petit ours brun chez soi dans sa baignoire !

Après un court instant, monsieur Hubert se ressaisit, toussa pour s'éclaircir la voix et dit aimablement :

– Bonjour, ours brun. Puis-je te demander ce que tu fais dans notre baignoire ?

– Quelle question ! Je prends un bain, pardi ! répliqua le petit ours brun.

Ensuite, il disparut dans l'eau, réapparut les joues gonflées et toisa monsieur Hubert d'un air provocant. Puis, il respira à pleins poumons et l'instant d'après, monsieur Hubert était trempé de la tête aux pieds.

Mort de rire, le petit ours tapait de la patte sur le rebord de la baignoire.

– Alors ça !... s'indigna madame Hubert.

– J'exige que tu sortes de notre baignoire sur-le-champ ! ordonna monsieur Hubert, vexé. Stella, elle, ne comprenait pas pourquoi ses parents s'énervaient. Elle le trouvait très drôle, ce petit ours brun.

– Pas de problème ! répondit-il en tendant la patte vers un grand drap de bain dont il s'enveloppa après avoir quitté la baignoire.

– Et maintenant ? fit-il en se tournant vers la famille Hubert.

– Maintenant, tu es prié de quitter cette maison ! commanda monsieur Hubert.

– Mais sans mon bonnet de douche ! cria madame Hubert en lui arrachant le bonnet de la tête.

– Je ne peux pas m'en aller, dit calmement l'ours brun. J'habite ici depuis ce matin !

– Oh, chouette ! s'exclama Stella en battant des mains avec excitation. J'ai enfin un animal domestique ! Il peut rester, n'est-ce pas ?

Monsieur et madame Hubert s'interrogèrent du regard. Puis ils examinèrent l'ours de près une fois de plus. C'est vrai qu'il était mignon. Et il était encore très petit… comme un nounours un peu trop grand.

– Bon, d'accord ! décida madame Hubert. Mais c'est provisoire !

Stella était aux anges. Elle voulut bien sûr jouer tout de suite avec le petit ours brun. Elle l'installa dans sa voiture de poupée, le couvrit avec amour et lui tendit un biberon de lait. Ensuite, elle partit le promener. Elle monta et descendit la rue un nombre incalculable de fois. L'après-midi, Stella et le petit ours brun s'amusèrent dans le jardin à jouer à cache-cache, à chat perché ou simplement à s'allonger dans l'herbe pour contempler les nuages. Pour faire plaisir à Stella, l'ours brun fit même semblant d'être un cheval, tandis qu'elle était la célèbre cavalière. C'est fou tout ce que l'on peut faire avec un ours brun !

Le soir venu, l'ours brun se coucha dans le lit de Stella et se pelotonna contre elle. Elle le prit délicatement dans ses bras et murmura : « Je t'adore, toi ! » L'ours brun grogna doucement et tous deux s'endormirent, heureux. C'est ainsi que Stella et l'ours brun devinrent les meilleurs amis du monde. Même monsieur et madame Hubert commencèrent à s'attacher à lui. À leurs yeux, il n'avait qu'un seul défaut : il avait toujours tellement faim ! C'est à peine s'ils arrivaient à se procurer toute la nourriture qu'un estomac comme celui-là pouvait engloutir ! Et il grandissait à une vitesse ! Il ne tarda pas à devenir beaucoup trop grand pour la voiture de poupée. Ses pattes pendouillaient de part et d'autre de la voiture qui s'affaissait, craquait et grinçait de façon inquié-tante. Bientôt, la baignoire aussi devint trop petite pour lui. Monsieur Hubert dut creuser un étang dans le jardin, pour que l'ours puisse y prendre un bain. Et évidemment, cela faisait belle lurette qu'il était devenu trop lourd pour le lit de Stella, mais ces deux-là ne voulaient pas être séparés. Ils continuèrent donc à dormir ensemble - tant bien que mal - et ce qui devait arriver arriva : le lit finit par casser !

Stella et l'ours brun ne s'inquiétèrent pas pour autant. Ils se rendirent simplement dans la chambre de monsieur et madame Hubert... qu'ils poussèrent hors de leur lit ! Et à partir de cette nuit-là, les parents de Stella durent dormir sur le divan du salon. Mais là non plus, ils n'arrivaient pas à dormir paisiblement car l'ours, devenu grand, ronflait si fort que toute la maison en tremblait. Stella était la seule que cela ne dérangeait pas. Blottie contre son ours brun, elle se sentait bien et en sécurité. La nuit, elle n'avait plus peur des monstres ni des bruits étranges. Tout aurait peut-être pu continuer ainsi si l'ours brun n'avait un jour commandé du poisson frais au marché.

En rentrant du travail, monsieur et madame Hubert virent de loin ce qui les attendait. Un camion plein de poissons avait déversé son chargement devant leur entrée et l'ours brun, ravi, était assis au beau milieu, occupé à se rassasier. Autour de lui, et beaucoup moins ravis, les voisins fulminaient tellement qu'ils en devenaient cramoisis.

– Cet ours doit s'en aller dès demain, dit monsieur Hubert à madame Hubert. Il ne peut pas rester ici plus longtemps !

Au cours de la nuit suivante, l'ours brun dormit profondément et il ronfla et grogna plus fort que jamais.

Le lendemain matin, au petit-déjeuner, alors que monsieur Hubert, le cœur gros, s'apprêtait à annoncer sa décision, on frappa à la porte.

C'étaient les voisins… tous les voisins !

Mais que s'était-il donc passé ? Ils riaient gaiement et avaient apporté une quantité invraisemblable de poissons et de pots miel.

– Nous venons remercier l'ours brun ! expliqua une voisine avec un sourire rayonnant. La nuit dernière, des cambrioleurs rôdaient dans le quartier. Mais le bruit des ronflements et des grognements de l'ours brun les a fait fuir ! Il nous a tous protégés. Merci beaucoup, monsieur l'ours brun !

Bien évidemment, l'ours brun put rester ! Et comme les voisins lui étaient infiniment reconnaissants, ils lui bâtirent tout près de là une maison avec un étang. Stella lui rendait visite tous les jours et l'ours brun continuait à protéger tous les habitants de la rue grâce à ses ronflements et ses grognements tonitruants.

Alexandra Fischer-Hunold

L'ENCYCLOPÉDIE MÉDICALE DES OURS

e bon matin, un petit ours faisait un brin de promenade.

Les oiseaux chantaient et la rosée scintillait sur toutes les branches. La forêt resplendissait et le petit ours était d'une humeur radieuse. Après un moment, il se sentit fatigué et s'assit sur un petit monticule aussi moelleux qu'un coussin. Mais à peine installé, le petit ours se releva d'un bond en poussant un cri. Il s'était assis sur une fourmilière ! L'humeur un peu gâchée, le petit ours reprit son chemin. Quelques pas plus loin, son dos se mit à le démanger. Alors, il s'arrêta et se frotta contre un arbre.

– Dis donc, toi ! appela quelqu'un d'en haut.

Un écureuil était assis sur une branche. Il cria :

– Arrête de te frotter le dos contre mon arbre !

– Pourquoi ? Je ne vais pas te le déraciner ! répliqua le petit ours.

Mais l'écureuil se fâcha :

– Allez ! Va-t'en, gros balourd, avant que je ne te canarde de pommes de pin !

Le petit ours partit alors se gratter le dos contre un autre arbre. Mais ce n'était plus pareil. Plus rien ne l'amusait. Dépité, il rentra chez lui.

En voyant son air tristounet, le grand ours lui demanda ce qui n'allait pas.

Le petit ours raconta ses mésaventures et le grand ours lui dit :

– C'est derrière toi maintenant, n'y pense plus ! La journée n'est pas finie, tu as encore de belles heures devant toi.

Mais cela ne remonta pas le moral du petit ours qui continuait à broyer du noir.

– Approche ! lui dit alors le grand ours.

Et il s'empara de la grosse encyclopédie médicale des ours, qui avait été écrite cent ans auparavant par un médecin ours renommé.

– Voyons voir… Il doit bien exister un remède pour les petits ours tristounets... Ah, voilà !

C'était écrit là, en toutes lettres : faire sept culbutes !

Le petit ours effectua donc sept culbutes…

… qui eurent bel et bien raison de sa mauvaise humeur !

Josef Guggenmos

PETIT GROGNON EST MALADE.

En ce beau matin, Petit Grognon ne voulait pas manger son petit-déjeuner, ce qui était très rare. Maman le regarda avec inquiétude. Elle lui avait préparé du lait et une tartine de miel. D'habitude, il adorait ça ! Mais ce jour-là, il ne fit que les renifler… sans y toucher.

– Qu'est-ce qui se passe, mon Petit Grognon ? lui demanda maman. Allez, bois… et mange un peu !

– **Grrr !** fit l'ourson, mais sans conviction et d'une toute petite voix. Je n'ai pas envie de boire ! Je n'ai pas envie de manger ! Le lait est aigre et le miel est amer.

Maman hocha la tête et dit :

– Mais non, mon Petit Grognon. J'ai goûté les deux.

– Mais si ! rétorqua Petit Grognon. Et tu n'y as même pas goûté !

Maman posa sa patte sur le museau de Petit Grognon.

– Il est tout brûlant, constata-t-elle. Tu as certainement de la fièvre. Il faut que tu retournes au lit.

– **Grrr !** grogna Petit Grognon. Je ne veux pas aller au lit ! Je viens juste de me lever.

– Et si tu allais faire un petit tour dehors ? dit maman. L'air frais te fera peut-être du bien.

Petit Grognon sortit dans le jardin. Mais au soleil, il avait trop chaud et à l'ombre, il avait trop froid. Alors, il finit par rentrer. Maman était en train de balayer.

– Tu joues avec moi ? demanda Petit Grognon.

– Pas maintenant, répondit maman. Je suis occupée.

– **Grrr !** fit Petit Grognon. Mais il s'arrêta là.

– Tu as mal quelque part ? demanda maman.

– Oui ! cria Petit Grognon. J'ai mal à la tête et à la gorge et partout, d'ailleurs !

– Tu aurais dû le dire tout de suite, dit maman. Et elle le mit au lit.

Petit Grognon ne grognait même plus. Il grommelait à peine : il était content d'être au lit.

Maman lui mit trois coussins derrière le dos et le couvrit chaudement.

Ensuite, elle lui apporta un livre d'images.

– Reste avec moi ! dit Petit Grognon.

– Laisse-moi juste terminer de balayer ! répondit maman. Ensuite, je reviens.

– **Grrr !** grogna l'ourson. Mais sa mère lui mit rapidement le thermomètre en bouche et il se tut.

– Garde-le bien comme ça ! insista maman. J'arrive tout de suite.

Petit Grognon s'installa confortablement dans ses coussins mais n'ouvrit pas son livre d'images. Il était bien trop faible et avait mal partout.

Petit Grognon ferma les yeux mais ne s'endormit pas. Il avait vraiment très chaud sous la couverture. Il pédala tant qu'il put pour s'en débarrasser.

– Enfin, Petit Grognon, dit maman. Tu as mis ton lit sens dessus dessous !

Petit Grognon soupira. Il n'arrivait pas à parler. Maman lui retira le thermo-mètre de la bouche et dit, effrayée : « Tu as beaucoup de fièvre. J'appelle le docteur.

– **Grrr !** protesta Petit Grognon. Non ! Pas le docteur ! Je ne l'aime pas, lui ! dit-il dans un grognement très rauque.

– Écoute, Petit Grognon, dit maman, le docteur Corbeau est très intelligent et il pourra certainement t'aider. Et elle alla ouvrir la fenêtre.

Sous le toit vivaient monsieur et madame Hirondelle et leurs quatre enfants.

– Ohé ! Monsieur Hirondelle ! cria maman. Puis-je vous demander d'aller chercher le docteur ? Notre Petit Grognon est malade.

– Bien sûr ! siffla monsieur Hirondelle. Bien sûr ! Et il s'envola prestement.

Maman descendit dans la cuisine et en rapporta un grand verre de jus de framboise frais pour Petit Grognon. Il but tout d'un coup.

Maman s'assit à côté de lui et lui dit :

– Tu veux que je te raconte une histoire ?

– Oui ! répondit Petit Grognon, une histoire de quand j'étais petit.

Il connaissait toutes ces histoires par cœur mais ne se lassait pas de les entendre.

Maman lui raconta donc comment c'était quand il n'était encore qu'un tout petit ours grognon qui ne savait même pas encore faire **Grrr!**, mais seulement *gagaga* - et pourtant déjà bien fort ! Et quand il apprit à marcher, il s'emmêlait toujours les pattes, celles de droite avec celles de gauche, celles de devant avec celles de derrière…

C'est à ce moment que l'on frappa à la fenêtre : le docteur Corbeau était arrivé. Maman lui ouvrit.

– Bonjour, Petit Grognon ! dit le docteur. Alors, qu'est-ce qui ne va pas ?

Petit Grognon ne répondit pas. Il ne grogna même pas.

Le docteur Corbeau ausculta ses yeux et sa gorge, lui prit le pouls, promena son stéthoscope sur sa poitrine. Puis il annonça que ce n'était qu'un gros rhume. Maman se sentit soulagée.

Le docteur Corbeau ajouta :

– À propos, je viens de chez ton ami Petit Tonnerre. Il a la même chose que toi. Auriez-vous par hasard fait quelque chose de particulier, hier ?

– Non, répondit Petit Grognon, on a juste un peu joué dans le ruisseau.

– Ah, bon ! dit le docteur. L'eau du ruisseau est pourtant très froide.

– Ah ça oui ! s'exclama Petit Grognon. Nous avons joué à celui qui resterait le plus longtemps dedans. Et c'est moi qui ai gagné !

– Tout s'explique, conclut le docteur Corbeau en sortant de sous son aile une fiole remplie de comprimés blancs. Prends-en deux tout de suite, recommanda-t-il.

– **Grrr !** Non ! Je ne veux pas, rétorqua Petit Grognon.

– Petit Tonnerre les a pris, lui ! dit le docteur.

– Comment ça ? fit Petit Grognon. Et il a grogné ou rouspété ?

– Rien de tout ça, dit le docteur, il les a simplement avalés. Petit Tonnerre, c'est un malin !

– Moi aussi ! répliqua Petit Grognon.

Alors maman lui apporta un autre verre de jus de framboise et il en but une grosse gorgée pour avaler ses médicaments.

– Eh, bien ! Voilà ! fit le docteur Corbeau. Maintenant, je vais t'envoyer la spécialiste en plantes médicinales qui te fera du thé. Puis, Greta la grenouille viendra te préparer des compresses. Tu verras, tu seras vite sur pied.

Maman ouvrit la fenêtre et le docteur Corbeau s'envola.

Petit Grognon but donc son thé bien chaud et se laissa poser des compresses froides. Après cela, il se sentit déjà mieux.

– Bien, maintenant, je vais aller te chercher quelque chose de bon à manger, mon Petit Grognon, lui dit maman. Tu dois commencer à avoir faim.

– Pas vraiment, répondit Petit Grognon. Mais j'ai envie de manger un petit quelque chose.

– Et quoi par exemple, comme petit quelque chose ? lui demanda maman.

Petit Grognon réfléchit puis finit par dire :

– Du pain d'épice et du pudding, du riz au lait et de la compote de pommes, un petit pain à la confiture de framboise, des crêpes au sucre et puis aussi deux ou trois noisettes et quelques raisins, peut-être.

– C'est tout ? demanda maman dans un sourire.

– Non, répondit Petit Grognon. Ce dont j'ai le plus envie, en fait, c'est de fraises des bois à la crème.

– Je vais voir ce que je peux faire, dit maman en descendant à la cuisine.

Papa entra dans la chambre pour offrir à Petit Grognon un pantin en forme de lapin qu'il avait fabriqué pour lui. Petit Grognon se mit à rire.

– Il faut faire plaisir aux enfants malades, dit papa, ça les aide à guérir plus vite.

Maman apporta un plateau garni de choses délicieuses. Petit Grognon rit de nouveau.

– Ça te fait plaisir ? demanda papa.

– C'est bon ? demanda maman.

Petit Grognon ne répondit pas. Comment voulez-vous parler la bouche pleine de fraises des bois à la crème !

Ingrid Uebe

L'OURS QUI NE VOULAIT PAS DE BOUCLES

Dans sa chambre, Frison regardait ses poils tout bouclés. Il détestait ça.

– Pourquoi ma fourrure n'est-elle pas lisse comme celle de tous les autres ours ? grognait-il. Je ne veux pas de ces affreuses boucles.

– Enfin ! De quoi te plains-tu ? disaient les autres ours. Tes boucles te vont à ravir.

Évidemment, Frison ne les croyait pas. Et il se brossa la fourrure en utilisant de l'eau pour se lisser les poils. Mais dès qu'ils séchèrent, les boucles réapparurent. Alors il se tartina de la tête aux pieds avec le gel que sa maman utilisait pour se coiffer, badigeonnant au passage la moitié de la salle de bain. Ses poils en devinrent lisses, mais également raides comme des piquants de hérisson. En voyant cela, sa maman s'empressa de le mettre dans la machine à laver. Quand il en sortit, ses boucles étaient revenues.

Il fit encore une tentative et s'enduisit de l'huile pour les cheveux empruntée à papa. Gagné ! Sa fourrure était lisse et magnifiquement brillante. Mais cela le rendit tellement visqueux qu'il glissait sans arrêt. Maman le remarqua et le mit une deuxième fois dans la machine à laver. Et, bien entendu, ses boucles réapparurent.

– Que faut-il donc que je fasse ? gémit-il. Tout le monde se moque de moi à cause de ma fourrure frisée.

Alors il se cacha dans une armoire et décida de ne plus en sortir.

Pourtant, ce n'était pas du tout vrai que les autres riaient de lui. Au contraire !

– J'aimerais tant avoir d'aussi jolis poils, dit Bruno, le vieil ours, dont la fourrure était déjà toute pelée.

– Moi aussi, ajouta Samson, car la sienne était pleine d'épis.

Quant à Belle, la jolie danseuse qui avait toujours eu un petit faible pour Frison, elle le chercha partout… et finit par le trouver.

– Mais pourquoi te caches-tu dans cette armoire ? demanda-t-elle.

Et il lui parla des soucis que lui causait son horrible fourrure bouclée.

– Gros bêta, va ! s'écria Belle en l'embrassant. Tu es l'ours le plus mignon que je connaisse. C'est en grande partie grâce à tes boucles, tu sais. Et ce sont elles qui font que je te reconnais toujours, même de loin, et que je me réjouis de te voir.

D'abord, Frison n'en crut pas ses oreilles. Puis, petit à petit, sa fourrure lui plut de plus en plus. Et aujourd'hui, il n'en changerait pour rien au monde !

Sally Grindley

L'HISTOIRE DE L'OURS EN PELUCHE

l était une fois une famille ours qui habitait dans une forêt très touffue et toujours un peu sombre.

– Ne sois pas si curieux et reste bien près de moi ! disait maman ours à son ourson lorsqu'ils marchaient ensemble dans la forêt.

Tout petit, il obéissait bien à sa maman, mais en grandissant il n'écouta plus que d'une oreille, puis d'une demie, et finalement plus du tout !

– J'aimerais tant savoir ce qu'il y a de l'autre côté des arbres, se disait-il.

Et un jour, à un moment où papa et maman ours ne faisaient pas très attention à lui, il s'enfuit. Il traversa la forêt, puis des prairies et des champs.

Lorsqu'il se sentit un peu fatigué, il s'arrêta devant une maison entourée d'un petit jardin. Assise sur un banc, une fillette pleurait.

– Personne ne joue jamais avec moi ! sanglotait-elle. Et de grosses larmes roulaient sur ses joues.

La fillette aperçut l'ourson. « Comme j'aimerais jouer avec lui », pensa-t-elle.

– Si tu veux, dit l'ourson, on pourrait jouer un peu à la barbichette.

– Comment ça marche ? demanda la fillette avec curiosité.

– On se tient par le menton en chantant : *Je te tiens, tu me tiens par la barbichette, le premier de nous deux qui rira aura une tapette !* et le premier qui rit a perdu.

– D'accord ! répondit la fillette.

L'ours escalada la clôture et ils s'amusèrent ainsi jusqu'à ce qu'ils eurent envie de changer de jeu. La fillette montra alors sa balançoire à l'ourson. Ils voltigèrent à tour de rôle puis jouèrent au ballon. Ils riaient beaucoup ensemble.

Le soir, au moment d'aller au lit, l'ourson put se coucher dans la voiture de poupée. La maman de la fillette le borda comme s'il était son propre enfant.

Pendant la nuit, l'ourson rêva de la forêt, de son papa et de sa maman. Tous deux pleuraient parce que leur petit s'était enfui. Le lendemain matin, quand il se réveilla, l'ourson était malade. Il tremblait de tous ses membres.

– Qu'est-ce qui ne va pas ? lui demanda la fillette.

– J'ai froid, répondit l'ourson d'un air malheureux.

– Mais tu as pourtant une fourrure bien épaisse. Comment peux-tu avoir froid ?

– C'est en dessous de ma fourrure que j'ai froid, gémit l'ourson. À l'intérieur.

Alors, la fillette appela sa maman, et la maman appela le papa. Et tous trois discutèrent pour voir comment aider l'ourson.

– Je pense que sa famille et sa forêt lui manquent, dit soudain le papa.

Et comme c'était un homme intelligent et qu'il savait où les ours habitaient, il prit l'ourson sur son dos et le ramena dans la grande forêt, là où elle est très touffue et où il fait toujours un peu sombre. Maman ours et papa ours furent fous de bonheur de retrouver leur ourson. Ils enlacèrent leur petit qui se sentit tout de suite mieux.

Mais la fillette, elle, était en larmes car elle aurait vraiment voulu garder l'ourson avec elle.

Pour la consoler, sa maman sortit sa trousse de couture et lui confectionna un petit ours en tissu.

– Oh ! Il ressemble comme deux gouttes d'eau à mon ourson, dit la fillette, heureuse, en serrant l'ours en peluche dans ses bras.

Sigrid Heuck

L'OURS ET LE FANTÔME

Eliott est un petit ours qui avait très, très peur des fantômes. Chaque jour, il jouait avec ses frères et sœurs dans la forêt. Mais quand le soir tombait, il était toujours le premier à prendre le chemin du retour car il voulait absolument être à la maison avant qu'il ne fasse noir. Pas question pour lui de se retrouver nez à nez avec un fantôme.

– Froussard ! Froussard ! lui criaient ses frères et sœurs en riant. Mais le petit ours ne s'en préoccupait pas. Il préférait être un froussard plutôt que de rencontrer un fantôme.

– Attends-nous, sinon tu vas encore te perdre ! ajoutaient ses frères et sœurs. Mais Eliott ne s'en souciait pas davantage. Jusqu'ici, il avait toujours trouvé le chemin de la maison tout seul.

Or, un jour où ils avaient tous joué très loin de chez eux, le petit ours s'égara. Sans s'en rendre compte, il se retrouva dans une partie de la forêt où il n'était encore jamais allé. Tout lui était étranger : les arbres, les buissons, les haies et même la mousse sous ses pattes. Le petit ours marcha, marcha… et s'enfonça toujours plus loin dans la forêt. De temps en temps, il s'arrêtait et levait la tête vers le ciel avec inquiétude.

Le soleil avait disparu depuis longtemps, et de longues ombres se dessinaient entre les branches des sapins. Bientôt, il ferait nuit noire. Eliott appela ses frères et sœurs, mais personne ne répondit. Désespéré, il s'assit sur une souche d'arbre et pleura. Il mit ses pattes devant les yeux pour ne pas voir comme tout était sombre autour de lui.

C'est alors qu'une main toute légère lui effleura l'épaule, et qu'une voix fluette demanda : Pourquoi pleures-tu, petit ours ?

Celui-ci rouvrit les yeux et se retourna. Derrière lui flottait un fantôme de la même taille que lui, et vêtu d'un habit blanc vaporeux.

– Je me suis perdu, dit le petit ours, et j'ai peur de la nuit.

– Pourquoi donc ? demanda le fantôme. La nuit est bien plus amusante que le jour. En tout cas, c'est mon avis.

– Mais qui es-tu ? interrogea le petit ours, soulagé de ne plus être seul. Serais-tu un elfe ?

Le fantôme éclata d'un rire résonnant.

– Non, je ne suis pas un elfe, répondit-il. Je suis un fantôme.

Eliott fut pris d'une telle peur qu'il attrapa la chair de poule sous son épaisse fourrure et qu'il ouvrit des yeux grands comme des soucoupes.

– Pourquoi me regardes-tu aussi bizarrement ? s'étonna le fantôme.

– J'ai très peur des fantômes, répondit le petit ours. Le fantôme éclata de nouveau de son rire résonnant.

– Il ne faut pas que tu aies peur de moi, dit-il. Regarde-moi bien ! Est-ce que je n'ai pas l'air gentil ? Crois-moi ! Il en existe des bien pires que moi, dans mon genre !

– Tu ne vas rien me faire ? demanda Eliott.

– Je m'en garderai bien ! répondit le fantôme. Je peux m'estimer heureux que toi, tu ne me fasses rien. Tu es bien plus fort que moi et si tu le voulais, tu pourrais me réduire en miettes.

Le petit ours contempla ses pattes d'un air songeur.

– Oui, tu as des pattes impressionnantes, fit le fantôme. Et tu as certainement des crocs acérés aussi. Aucun fantôme sensé ne chercherait à se battre avec un ours comme toi. Tu ne le savais pas ?

– Non, dit Eliott. En tout cas, je n'y avais encore jamais pensé. Mais je suis content que tu m'en parles. Il se dressa, rabattit les oreilles et leva les pattes de devant vers le ciel. Ensuite, il ouvrit grand la gueule et ses crocs étincelèrent dans le clair de lune.

– **Grrr !** grogna-t-il bruyamment.

Houlala ! Tu es vraiment un ours d'une force exceptionnelle. On pourrait franchement avoir peur de toi.

Eliott laissa retomber ses pattes, redressa les oreilles et referma sa gueule.

Ensuite, il se secoua, jusqu'à ce que sa fourrure redevienne douce et souple.

– Il ne faut pas que tu aies peur de moi, dit-il. On peut être amis, si tu veux.

– Oh, oui ! Avec plaisir ! répondit le petit fantôme qui sembla soulagé.

– À propos, je sais où tu habites et je peux te raccompagner chez toi.

– Chouette ! s'exclama Eliott. Tu sais, je suis vraiment content de t'avoir rencontré.

Le fantôme prit alors la patte de l'ours dans ses doigts fluets et le ramena à la maison.

Ingrid Uebe

L'OURS MOTOCYCLISTE

Enfermé derrière les barreaux d'une des roulottes du cirque Rouletabille, il y avait un gros ours brun. Il était gentil et toujours content. Quand il faisait beau temps, il se prélassait au soleil sous son épaisse fourrure et quand il pleuvait, il contemplait avec bonheur les grosses gouttes de pluie qui fouettaient le sol à l'extérieur de sa cage.

Lorsque quelqu'un lui demandait comment il allait et s'il était satisfait de sa vie, il acquiesçait lentement de son lourd crâne en grognant : **Grumpf - Groar - Grrr !** ce qui, dans la langue des ours, voulait tout simplement dire : *Mais oui… bien sûr que ça va… et puis d'ailleurs, l'essentiel, c'est de ne pas s'en faire … oui, l'essentiel, c'est d'être tranquille.*

Pourtant, tous les soirs, quand les gens étaient massés sur les banquettes du chapiteau, son gardien l'emmenait sur la piste et l'accessoiriste du cirque lui amenait une moto et mettait le moteur en marche. Ensuite, le gros ours brun s'asseyait sur l'engin pétaradant, actionnait la manette des gaz et partait pour treize tours de piste à toute vitesse, sans s'arrêter une seule fois. Et comme il était le seul ours de toute l'Europe à savoir conduire une moto, les spectateurs l'applaudissaient, l'applaudissaient encore et tapaient des pieds à faire trembler tout le chapiteau.

– Bravo, gros ours brun, magnifique ! criaient-ils. Tu es le meilleur, tu es formidable !

Et à chaque fois, le gros ours brun était fou de joie et rougissait de plaisir.

Il est vrai que ça l'amusait énormément.

Mais un jour, au beau milieu du dixième tour, un petit garçon cria :

– Gros bêta d'ours ! Gros bêta d'ours ! Tout ce qu'il sait faire, c'est tourner en rond !

Et malgré le fait que sa mère et ses quatre tantes lui dirent de se taire et lui expliquèrent que c'était peut-être banal pour un homme de conduire une moto mais que pour un ours, c'était extraordinaire, il continua à crier :

– Gros bêta d'ours ! Quel balourd !

Et pour terminer, il hurla encore bien fort :

– Il ne fait que tourner en rond ! Tu parles d'un artiste !

L'ours avait compris chaque mot et ces paroles l'avaient blessé. Il n'en laissa rien paraître et fit celui qui n'avait rien entendu. Mais tout au fond de lui, sous son épaisse fourrure, il était fort énervé.

– Un gros bêta ! se répétait-il. Les enfants pensent que je ne suis qu'un gros bêta. Tout ça juste parce que je tourne toujours en rond avec ma moto. Très bien, je vais leur montrer, moi, que je ne suis pas qu'un gros bêta !

Et il élabora un plan…

C'est ainsi que le lendemain, lorsqu'il eut terminé son treizième tour, au lieu de descendre de sa moto comme d'habitude, il klaxonna trois fois bien fort avant de sortir en trombe et tout seul du grand chapiteau, sous les yeux ébahis de son gardien.

Une fois dehors, il continua à rouler, dépassa sa roulotte à barreaux en grognant gaiement avant de sortir de l'enceinte du cirque en pétaradant. Ensuite, il accéléra à fond et fila tout droit vers la ville avec grand fracas.

Lorsqu'il traversa le carrefour, le policier qui s'occupait de la circulation fut tellement surpris qu'il en perdit son sifflet. Pourtant, dans sa longue carrière de policier, il en avait vu des véhicules bizarres roulant à toute allure. Mais un ours sur une moto rouge, c'était une première !

« Ai-je bien vu ? » se demanda-t-il, effaré. Puis il bredouilla :

– C'est incroyable ! C'est vraiment incroyable !

À peine deux minutes plus tard, le gardien de l'ours arriva en courant, suivi du directeur et d'autres employés du cirque. Ils étaient encore loin du policier qu'ils lui criaient déjà :

– Auriez-vous vu passer un ours, un ours sur une moto rouge ? Par où est-il allé ?

– Tout droit ! répondit immédiatement le policier en leur montrant la bonne direction.

Le gardien, le directeur et les autres employés du cirque continuèrent donc à courir tout droit tandis que le policier se répétait tout bas :

– C'est incroyable ! Alors ça ! C'est vraiment incroyable !

Alors qu'il fouillait dans sa poche à la recherche de son calepin et qu'il essayait de se rappeler le numéro de plaque de la moto rouge, le gros ours brun, lui, sillonnait la ville dans tous les sens, tournant une fois à droite, une fois à gauche, traversant les rues principales et la place du marché, selon son envie du moment.

Partout où il était, les gens se précipitaient aux fenêtres pour regarder ce qui se passait dans la rue. Ceux qui n'avaient pas de fenêtre côté rue se pressaient dans les cages d'escalier pour demander quel était ce bruit et les autres leur répondaient en criant :

– Venez vite voir ça : il y a un gros ours brun qui va et vient tout seul sur une moto rouge, et les gens du cirque lui courent après et n'arrivent pas à l'attraper.

– Il ne faut pas rater ça ! s'égosillaient-ils. On ne voit pas ça tous les jours. C'est trop drôle ! C'est vraiment trop drôle !

De nombreux passants s'arrêtaient sur les trottoirs et applaudissaient, enthousiasmés. D'autres prenaient peur et se réfugiaient dans les entrées des immeubles ou se cachaient derrière des voitures garées. Mais petit à petit, le réservoir d'essence de la moto rouge se vida. Le moteur commença à toussoter puis on entendit un dernier **TEUF TEUF!** ... et il s'arrêta !

Le gros ours brun descendit alors de son bolide, l'appuya contre un réverbère, s'assit sur le trottoir et attendit. Lorsque le gardien, le directeur et les autres employés du cirque arrivèrent en courant et tout essoufflés, il leur fit joyeusement signe de la patte et leur rappela sa sympathique devise d'ours :

l'essentiel, c'est de ne pas s'en faire, oui, l'essentiel, c'est d'être tranquille.

Comme vous le savez, c'était un animal gentil et de bonne composition, et il n'avait jamais eu l'intention de s'enfuir. Il avait juste voulu prouver à tout le monde qu'il n'était pas qu'un gros bêta et qu'il savait faire autre chose que tourner toujours en rond sous un grand chapiteau.

Les gens du cirque retrouvèrent alors leur calme, essuyèrent la sueur de leur front et se mirent à rire. Et comme cette longue course leur avait à tous donné très soif, ils se rendirent sans plus attendre dans le bistrot le plus proche pour s'acheter des boissons fraîches.

Seul le gardien commença par remettre son collier et sa chaîne à l'ours.

Ensuite, il poussa la moto et ramena son protégé au cirque où il lui prépara une grande écuelle d'eau sucrée au miel.

À partir de ce jour, plus aucun spectateur ne traita l'ours de gros bêta, car il n'eut plus à tourner toujours en rond. Dorénavant, il tournicotait et zigzaguait, et quand il était particulièrement de bonne humeur, il roulait sans les pattes de devant et sur une seule roue ! Lorsque son numéro était terminé, au moment de regagner sa roulotte, il lui arrivait de se retourner une dernière fois, d'adresser un clin d'œil aux rangées du haut, là où se trouvent les enfants, et de lancer :

– Franchement, ça vous en bouche un coin, non ?

Reiner Zimnik

CUEILLETTE

Un papa ours dans les fougères,
Sa besace en bandoulière,
S'en va parcourir la forêt
À la recherche de baies.

Merveilleux, voici des groseilles
Qui mûrissent en plein soleil.
Y'en a des rouges, y'en a des vertes
Qu'il cueille d'une main experte.

Et les framboises, où êtes-vous ?
Ma mie aime tant votre goût.
Avant d'rentrer, je veux aussi
Des fraises, des mûres et des myrtilles.

Quand l'ours eut ces délicieux fruits,
D'un pas pressé, s'en fut chez lui
Pour cuisiner à son fiston
Un clafoutis digne de ce nom.

Evelyn B. Hardey

UNE ANNÉE CHEZ LES OURS

Depuis le mois de novembre, je n'ai plus vu mon copain le petit ours, car les ours hibernent tout l'hiver. Et un hiver, c'est interminable.

Parfois, il me manque et j'en arrive même à me demander pourquoi je n'hibernerais pas, moi aussi. Mais pas tout le temps. Pas à Noël, par exemple ! Cette année, dès le premier jour de beau temps, début mars, je suis monté immédiatement à la tanière. J'ai frappé mais personne n'est venu m'ouvrir. J'entendais des bâillements et des étirements : les ours se réveillaient tout doucement.

Quand je suis revenu deux jours plus tard, l'air embaumait déjà le café. Le petit ours qui allait à l'école avec moi, enfin… quand il ne dormait pas, m'ouvre la porte.

— Entre ! dit-il, puis, me montrant sa famille : tu te souviens de ma grand-mère, de ma maman et de mon papa ?

Les ours étaient en train de prendre leur petit déjeuner.

— Booonjouuur ! firent-il tous, pas encore très éveillés.

— Et moi, alors ? demanda la petite ourse qui jouait sous la table.

— Ah, j'oubliais ! Ça, c'est ma petite sœur, dit le petit ours.

— Et ça, c'est notre petit déjeuner ! s'exclame la grand-mère avec un sourire gourmand.

— Bon appétit ! leur dis-je.

— Tu te joins à nous ? demande la maman.

Le petit ours m'apporte une chaise et une assiette. Je m'assieds pour partager leur repas et mange aussi bruyamment qu'eux. Si maman voyait ça !

– Alors ? demandais-je, la bouche pleine, parlez-moi de cet hiver....

– Euh, tu sais… nous avions les yeux fermés, dit le petit ours qui me lance un regard amusé tout en gardant le museau dans son assiette.

– Tout ce que je peux dire, c'est que le temps est passé très vite ! ajoute la maman.

La voix de la petite ourse nous parvient de dessous la table :

– Et toi, petit garçon ? Tu as vu la neige ? Ça ressemble à quoi ?

La grand-mère ne me laisse pas le temps de répondre.

– Ah, la neige ! s'exclame-t-elle. Je te souhaite de voir ça un jour, ma petite. La neige qui recouvre la forêt tout entière de son épaisse fourrure blanche… plus blanche que la laine d'un agneau !

Et elle reste songeuse quelques instants.

Après un moment, la maman se tourne vers moi.

– Et comment ça se passe à l'école ?

– Bien, répondis-je. Voulez-vous voir ce que nous avons fait ?

J'avais apporté mes affaires de l'école - des cahiers, des livres et un classeur avec nos leçons - pour montrer au petit ours ce que nous avions appris pendant l'hiver. Il n'avait pas manqué grand-chose : la table de multiplication par quatre, quelques mots compliqués, comme la différence entre ourson et oursin, et puis différentes choses sur la neige, sur les animaux et sur la façon dont ils passent l'hiver. Le petit ours, qui voulait tout savoir, tout de suite et en détail, fit une grosse tache sur une de mes feuilles avec son museau plein de miel.

– J'ai ici une leçon qui va te plaire, lui dis-je d'un air complice. Écoute !

Je sors une feuille du classeur et lis à voix haute :

L'ours brun. L'ours brun est le plus gros carnassier d'Europe. Il pèse entre 150 et 250 kilos. Certains spécimens particulièrement robustes peuvent atteindre un poids de 350 kilos. La taille d'un ours adulte est d'au moins 2 mètres. Pendant que l'ours hiberne, sa température corporelle baisse et son rythme cardiaque diminue.

– Magnifique ! fit le papa. Magnifique !

La maman balançait lentement la tête d'avant en arrière.

Quant au petit ours, il dit : et dire que j'ai manqué tout ça !

– L'ours brun..., répéte fièrement le papa, le plus gros carnassier d'Europe !

Je continue : – *L'ours marche en se balançant. C'est un animal ambleur, comme le chameau, c'est-à-dire qu'il se déplace en levant en même temps les deux pattes du même côté.*

La maman grogne. La comparaison avec le chameau ne lui plaît pas.

Le papa, lui, se met à déambuler dans la tanière, suivi du petit ours. Ils essayent d'avancer en bougeant les deux pattes de droite puis les deux de gauche, mais ils finissent par perdre l'équilibre. À tel point qu'ils doivent s'asseoir sur leur imposant arrière-train pour le retrouver. Ils remarquent alors que la petite ourse vient vers eux en marchant exactement comme je l'avais décrit.

Et moi…je le fais bien ? demande-t-elle.

Ma visite suivante a lieu le dimanche avant les grandes vacances. Je trouve les ours dehors.

– Bonjour ! lançai-je en arrivant.

– Nous sommes ravis de te revoir, jeune homme, dit la maman en souriant de toutes ses dents.

– Est-ce bien le camarade d'école de notre petit ours ? interroge la grand-mère, qui était un peu myope. Il me semble reconnaître son odeur.

– Oui, oui ! C'est bien moi ! répondis-je.

– Oh, mais… qu'as-tu là autour du cou ? me demande la maman, intriguée.

– C'est mon appareil photo ! dis-je avec excitation. Il est tout neuf et je voudrais l'inaugurer en prenant quelques photos de vous. Vous voulez bien ? Comme ça, j'aurai un souvenir de vous et je pourrai vous montrer à mes parents.

– Excellente idée ! Mais… il faut que j'aille me recoiffer ! dit la maman.

Ce jour-là, j'avais apporté un cadeau pour la petite ourse : une poupée avec une robe rose et de minuscules chaussures rouges. Je pense qu'elle aimera cette poupée comme moi j'aime mon ours en peluche. Quand je la lui offre, la petite ourse tend les pattes, prend la poupée, la renifle et l'emporte. Peu après, elle revient les mains vides.

– Elle l'a peut-être enterrée, expliqua le papa. Nous faisons ça, nous les ours, avec les choses que nous voulons conserver.

Assis à l'ombre au sommet d'une colline, nous contemplons le paysage.

C'est une belle journée. Tout en bas, le soleil se reflète sur les vitres des voitures qui avancent en file indienne. Des bruits de klaxons montent jusqu'à nous.

– Pourquoi les humains veulent-ils donc toujours aller si vite ? s'interroge le papa. Nous les ours, nous prenons le temps et nous ne sommes pas moins heureux.

Et la grand-mère ajoute à mon attention :

– Tes semblables y gagneraient certainement à prendre un peu exemple sur nous, mon garçon...

Le petit ours commence alors à s'agiter...

– Oh ! Et ce qui serait chouette aussi, fit-il avec enthousiasme, c'est que vous hiberniez ! Si tu essayais, cette année ? Si tu demandais à ta maman et à ton papa de dormir chez moi tout l'hiver ? »

– C'est vrai que l'hiver me semble parfois long sans toi, lui répondis-je, mais...

Le petit ours, voyant mon hésitation ajoute :

– C'est tellement bon, tu sais, d'hiberner. On ne doit pas supporter le froid dehors. Et puis, on entre dans le printemps en pleine forme !

– Ton idée me touche beaucoup, lui dis-je, mais je ne veux pas rester si longtemps loin de mes parents… et j'aime tant Noël, les batailles de boules de
neige… sans compter que je vais apprendre à faire du ski.

– Ah là là ! Toujours cette envie de vitesse ! murmure le papa.

La maman intervient : – Arrêtez donc de parler de l'hiver, vous allez finir par me
faire frissonner. Profitons plutôt de ce beau soleil.

– En plus, remarque la grand-mère, même si je n'y vois plus très bien, je pense

que la lumière doit être parfaite pour prendre des photos, non ?

– Oh mais, oui ! répondis-je. J'ai failli oublier !

La petite ourse nous demande de l'attendre. Elle disparaît et revient avec sa poupée !

– Elle adore être prise en photo, dit-elle en l'installant sur une touffe d'herbe près d'elle.

Ils prennent tous la pose de bonne grâce et me font leur plus beau sourire. Et clic ! Du premier coup, c'était dans la boîte !

Ma dernière visite remonte à l'automne. Je n'ai pas encore revu les ours depuis. Cette fois-là, nous sommes assis à l'entrée de la tanière. Des nuées de feuilles mortes tombent des arbres en tournoyant. Nous pensons tous au long hiver qui s'approche.

La maman se tourne vers le papa et lui dit :

– Il est temps que nous terminions nos provisions pour l'hiver.

– Nous avons déjà suffisamment de mûres, répondit-il.

– Oui, dit la maman, mais nous devons penser à ramasser des glands et à cueillir des pommes dès demain.

– Moi, je m'occuperai des couvertures, ajouta la grand-mère en baillant. Je repriserai celles qui ont des trous.

Le petit ours soupire, se tourne vers moi et dit :

– Qu'est-ce que je vais manquer, cette fois ?

Il est triste. Moi aussi. Tous les ours se sentent tristes avant d'hiberner à cause de la fatigue qui les gagne. Les hommes, eux, sont tristes quand ils doivent se quitter.

– Quand tu te réveilleras, lui dis-je, je te raconterai tout, je te montrerai tout et je t'expliquerai tout.

– Peut-être que la maîtresse vous parlera de la vie des poissons sous la glace, fait la maman.

– Ou de la vie des humains, qui restent éveillés en hiver pour ne pas rater Noël et pour pouvoir faire du ski, ajouta le papa.

Soudain, le regard du petit ours s'illumine.

– J'ai une idée ! dit-il d'un ton enjoué. Et, s'adressant à moi :

– S'il te plaît, avec ton appareil tout neuf, tu veux bien photographier tout ce que nous ratons pendant que nous hibernons ? Je voudrais tant voir la neige et plus seulement en rêver !

Entendant cela, la petite ourse se précipita vers moi et tira sur mon pantalon en suppliant :

– Oh oui ! Tu veux bien, dis, tu veux bien ?

– Mais bien sûr, répondis-je en riant, avec plaisir ! Je pourrais, par exemple, prendre une photo de notre école sous la neige.

– Et une autre des bonshommes de neige que tu construiras ! s'exclame la petite ourse.

– Moi, fait le papa, j'aimerais une photo de toi sur tes skis !

– Et moi, dit la maman, une de notre tanière recouverte par la neige, s'il te plaît.

– Et des photos de Noël, ça vous intéresse ? demandais-je.

– Oh ouiiii ! firent en chœur le petit ours et sa sœur, pour voir ce sapin illuminé dont tu nous as parlé.

– Sans oublier le bon repas dont vous allez vous régaler, ajoute la gourmande grand-mère.

– En voyant toutes ces photos, remarque le papa, nous comprendrons peut-être mieux pourquoi les humains tiennent tant à rester éveillés quand la nature semble si hostile.

– Vous aurez tout cela, je vous le promets, dis-je. Ce sera mon cadeau pour votre réveil.

Cela fait aujourd'hui soixante-trois jours que les ours dorment… et me manquent. C'est vrai, nous sommes très différents et nous ne nous comprenons pas
toujours. Mais j'ai beaucoup d'affection pour eux et je n'aime pas rester longtemps sans les voir.

Heureusement, sur ma table de nuit, j'ai maintenant une photo de la famille
ours au grand complet. Cinq paires d'yeux d'ours me regardent… et l'hiver me
semble un peu moins long.

Jürg Schubiger

L'OURS DE PRINTEMPS ET L'ABEILLE DE L'HIVER

Impatiente, la petite abeille
Va dire à l'ours en plein sommeil :
– Mais quand viendra donc le printemps,
Que je butine à travers champs ?

J'oublierai vite ce long hiver
En voltigeant, toute légère
Sous le soleil et ses chauds rayons.
Quand le printemps viendra-t-il donc ?

L'ours engourdi fit en bâillant :
– C'est pas pour demain le printemps !
Car je n'ai pas fini d'hiberner
Dans mon antre chaud et tout douillet.

L'abeille pesta : – Nom d'un bourdon !
Tant qu'il dort, il ne fera pas bon.
Donc, pas de chaleur et pas de fleur.
Allez, debout, le gros ronfleur !

Pas de chance ! L'ours était décidé
À continuer d'hiberner,
Et à force de grognements
Se retourna, tout simplement.

Mais l'abeille, en bon petit soldat
N'est pas du genre à en rester là.
Elle est têtue, notre ouvrière
Et attaque l'ours par-derrière.

Tout dard dehors, elle monte à l'assaut
Éperonnant l'ours de bas en haut
Et petit trou par petit trou,
Elle finit par le rendre fou !

L'ours bondit et dehors se rua
Dans la neige jusqu'au cou se plongea.
L'hiver pouffa de rire, oubliant
Qu'il devait prendre garde au printemps.

L'hiver fond, le printemps s'installe
Le soleil brille, l'abeille a le moral.
Elle déploie ses ailes et s'envole
Pour disparaître dans les corolles.

Quant à l'ours, il était très fâché.
Mais l'abeille, pour se faire pardonner
Vint lui offrir deux belles cruches
Du plus goûteux miel de sa ruche.

L'ours lui lança : – Merci petiote !
Avec ça, le printemps me botte !
Puis il s'en fut d'un pas pressé
Ranger le miel dans son buffet.

Qui fait l'hiver ? Vous le savez :
C'est l'ours en train d'hiberner.
Et le printemps, à qui le doit-on ?
À l'abeille et à son aiguillon !

Martin Baltscheit

LE PLUS BEL OURSON DU MONDE

n ce temps-là, une ourse vivait tout là-haut dans les montagnes.

C'était il y a très, très longtemps, quand les arbres étaient aussi hauts que le ciel et que l'eau des ruisseaux était encore si claire que l'on pouvait voir les cailloux au fond de leur lit. Le printemps venu, l'ourse eut un bébé ourson. Comme ses yeux étaient brillants ! Comme sa fourrure était soyeuse et comme il s'amusait à attraper les premiers bourdons de l'été avec ses petites pattes ! Et, bien sûr, c'était l'ourson le plus merveilleux du monde.

– Que tu es beau ! lui disait l'ourse qui l'aimait de tout son cœur.

Un jour, par un matin aussi ensoleillé et aussi chaud que les autres, une ourse qui n'était pas du pays arriva avec son ourson. Il avait la fourrure si soyeuse, les yeux si brillants et de petites pattes si habiles ! Les oursons jouèrent ensemble tandis que leurs mamans les regardaient, étendues dans l'ombre.

– Comme il est beau, votre ourson ! dit courtoisement l'ourse à l'étrangère.

– Et le vôtre, donc ! Il est si beau ! répondit poliment l'autre. Et toutes deux fixèrent fièrement la prairie où leurs petits s'amusaient à des jeux sauvages de petits ours. Et chacune d'elles pensa que c'était son petit ourson et lui seul qui était le plus beau, le plus adroit et le plus intelligent.

Mais le soir, lorsque l'ourse fut de retour à la tanière avec son petit, celui-ci devint triste pour la première fois.

– La fourrure de mon compagnon de jeux était plus soyeuse que la mienne ! gémit-il. Et ses yeux sont plus brillants que les miens ! Je ne suis pas le plus beau petit ourson du monde.

Il était à deux doigts d'éclater en sanglots.

– Taratata ! Qu'est-ce que tu dis là ? fit sa maman ourse en lui léchant tendrement le visage. Pour moi, tu es le plus beau de tous.

Eh, oui ! L'amour est aveugle et c'est très bien ainsi. Mais l'ourson n'arrivait pas à s'endormir, tout triste à l'idée qu'il n'était pas le plus bel ourson du monde alors qu'il l'avait toujours cru.

Les jours passèrent, le soleil dans le ciel, puis les feuilles devinrent plus foncées et les baies se mirent déjà à mûrir au creux de leurs buissons. Et le premier matin où l'air était frais et automnal arriva. Un vieil ours fatigué apparut dans la prairie. La brume flottait encore au sommet de la montagne et les gouttes de rosée scintillaient dans les toiles d'araignées. L'ourse s'était absentée, seule, pour aller chasser et pêcher. Avant de partir, elle avait jeté un dernier regard soucieux vers son ourson. Elle ne reviendrait que le soir.

L'ourson était donc seul dans la tanière lorsque le vieil ours arriva, après s'être traîné à grand-peine jusque-là. Il s'écroula devant l'entrée, épuisé.

Il lui fallut beaucoup de temps pour retrouver ses forces, mais ensuite il finit par apercevoir l'ourson. La tête enfouie dans les pattes, celui-ci ne bougeait pas d'un poil.

– Et alors ? s'étonna le vieil ours. On ne t'a donc pas appris à accueillir les visiteurs ?

Mais comme l'ourson avait honte d'être aussi laid et de ne pas être le plus beau du monde, il continua à cacher son visage dans ses pattes.

– J'avais espéré trouver de l'aide ici, expliqua le vieil ours. J'ai beaucoup marché, je suis très faible et bien incapable de chasser.

L'ourson se dit alors que le plus important pour ce vieillard affamé, c'était de manger, même du poisson pêché par un ourson qui n'était ni le plus beau ni le plus habile. Et comme il avait envie de l'aider, il courut au ruisseau et y attrapa un, puis deux, puis trois poissons, qu'il ramena dans la tanière pour les déposer devant les pattes du vieil ours.

– Oh ! fit celui-ci, enchanté. Je te remercie beaucoup, mon petit. Quelle joie de voir un ourson qui a si bon cœur... et des yeux aussi brillants, et une four-rure aussi soyeuse, et qui est assez adroit pour pêcher trois poissons à un vieil ours ! Cela faisait longtemps que la vue de quelqu'un ne m'avait pas autant réjoui.

L'ourson le regarda manger un moment puis il alla s'allonger dans la prairie sous le soleil de midi et essaya de s'amuser autour de chez lui. Et en y réflé-chissant, il se disait qu'il n'était peut-être pas l'ourson le plus beau du monde, ni le plus adroit et que beaucoup ne le trouveraient pas indispensable… mais qu'aujourd'hui, il avait pêché trois poissons et que le soleil brillait sur son museau et que la prairie était encore parsemée de fleurs d'automne et que sa vue était agréable au vieil ours. Et quand le soir tomba et que la fatigue l'en-vahit, il s'assit sous un arbre aux côtés du vieil ours pour rêver à la journée qui venait de s'écouler et se réjouir du lendemain.

Kirsten Boie

PLUME AU PAYS DES TIGRES

 e petit ours blanc Plume vit au pôle Nord. Où que se porte son regard, tout n'est que neige et glace, glace et neige. Parfois, ce paysage le lasse. Aujourd'hui, justement, Plume a passé toute la matinée à contempler les vagues. Et maintenant, il a envie d'un peu de changement.

– Je vais aller faire un tour du côté du village des humains, se dit-il juste au moment où son estomac se met à gargouiller. J'y trouve toujours un petit quelque chose à manger… et puis c'est plus palpitant qu'ici.

Dans la décharge, non loin des maisons, on trouve de délicieux restes. Les mouettes elles aussi le savent.

– Autant contempler les mouettes que les vagues, pense Plume. Sans compter que la chasse aux mouettes, c'est toujours rigolo.

Plume déniche quelques bons morceaux et les emmène dans un des wagons du train de marchandises pour pouvoir manger tranquillement. Il s'installe confortablement sur un marchepied et commence son repas. Comme il aime garder le meilleur pour la fin, il met de côté deux pattes de poulet. Lorsqu'il y jette un œil un peu plus tard, elles ne sont plus là ! Ont-elles pris la poudre d'escampette ?

Plume inspecte le wagon et y découvre un animal à rayures ! Tous deux se regardent avec inquiétude.

Mais quand l'animal éclate en sanglots, la peur de Plume s'envole.

– Qui es-tu, toi ? demande-t-il.

– Je m'appelle Babrak et... et... j'ai vraiment très, très faim.

– Bon, écoute, on va commencer par manger quelque chose et ensuite, tu me raconteras ton histoire, dit Plume.

– En fait, explique Babrak, sa dernière bouchée à peine avalée, mon père m'a souvent parlé de la mer qui se trouve au bout des rails de chemin de fer. Il me disait qu'il n'existe rien de plus beau dans le monde entier.

– Il pense vraiment ça ? s'étonne Plume.

– Oui. Et il m'a promis que nous irions la voir ensemble quand je serai grand. Mais quand j'ai vu ce wagon, j'ai grimpé dedans… et puis je me suis endormi… et le train a démarré. Et quand je me suis réveillé… je n'ai pas vu la mer… en plus, j'ai affreusement peur… et je suis si fatigué.

– Ne t'en fais pas, Babrak, dit Plume. Nous trouverons bien un moyen pour que tu rentres chez toi. Mais maintenant, il faut que tu te reposes. Moi, je monte la garde.

Or, à peine Babrak s'est-il endormi que Plume s'assoupit. Soudain, la porte s'ouvre dans un grand fracas ! Plume et Babrak réagissent plus vite que l'éclair et filent se cacher derrière une pile de caisses. Quelqu'un charge encore d'autres caisses et puis - blam ! - la porte se referme.

Ce n'est que quand le train se met en branle que nos deux compères osent sortir de leur cachette.

– Où allons-nous donc ? s'exclame le petit ours polaire.

Ils grimpent tous deux sur une pile de caisses et regardent au dehors.

– Où sommes-nous ? se demandent Babrak et Plume avec inquiétude.

Ils restent longtemps le museau à la fenêtre, silencieux. Peu à peu, le paysage change.

– Regarde, Plume, les arbres, là ! dit le petit tigre. Ça ressemble à chez moi.

– Tu es sûr ? demande Plume.

– Certain.

Alors, lorsque le petit ours polaire se rend compte que le train ralentit quelque peu, il crie :

– Viens, on saute !

Pétrifié, le petit tigre voit Plume escalader la fenêtre.

– Allez, Babrak ! Grimpe ! Tu vas y arriver.

Tout tremblant, Babrak s'exécute. Plume saute le premier. Babrak le suit. Et ils roulent sur une épaisse couche de neige molle.

Quand le petit tigre sort la tête de la neige, il tend sa truffe au vent et dit :

– Ça sent chez moi ! Et il renifle gaiement tout autour de lui.

Mais il a beau chercher, rien de ce qu'il voit ne lui est familier. Plume est tout dépité. C'est alors qu'une énorme chouette blanche se pose devant eux.

– Que venez-vous faire ici, vous deux ? demande-t-elle.

– Babrak veut rentrer chez lui, explique Plume, le petit tigre, effrayé, blotti contre lui.

– Oh ! Dans ce cas, vous n'êtes pas arrivés, chuinte la chouette. Suivez les rails jusqu'au grand pont. Ensuite, entrez dans la forêt et marchez simplement dans la direction du levant. Allez, bonne route, vous deux ! ajoute-t-elle avant de s'envoler.

– Elle était vraiment gentille, cette chouette blanche, dit Plume tandis qu'ils marchent tous deux le long de la voie ferrée.

– Oui, c'est vrai. Dis, tu crois que nous allons réussir à trouver le bon chemin ? ajoute Babrak.

– Bien sûr, répond Plume après un moment. Tu sais, j'ai déjà voyagé plusieurs fois et je me suis souvent perdu. Mais j'ai toujours fini par retrouver le chemin de la maison. Viens maintenant, nous allons traverser le pont et entrer dans la forêt.

Tant que la forêt n'est pas trop dense, ils n'ont aucun mal à se diriger d'après

le soleil. Mais arrivant à un ruisseau, Babrak n'ose pas traverser.

– Viens Babrak, je vais t'aider, lui dit Plume. J'ai l'habitude de l'eau.

Le vent souffle de plus en plus fort et finalement, les deux amis se

retrouvent pris dans une tempête de neige. Les yeux fermés,

ils marchent à tâtons. Babrak gémit, mais Plume veut continuer.

Toutefois, il en a bientôt assez, lui aussi :

– Nous devons trouver un abri et attendre la fin de la tempête.

Ils se blottissent l'un contre l'autre sous un grand sapin

et s'endorment.

Aux petites heures, la tempête cesse et lorsque le soleil perce à travers les nuages, Plume et Babrak constatent qu'ils ont pratiquement dormi à la lisière de la forêt. Devant eux s'étend à perte de vue une plaine vaste, sans un seul arbre derrière lequel se cacher. Perplexes, ils regardent autour d'eux.

— La chouette blanche ne nous a pas parlé de ça, murmure Babrak.

— Moi non plus, je ne sais plus par où aller, maintenant, dit Plume.

— Ces Messieurs auraient-ils perdu leur chemin ? demande soudain une voix aimable. Plume et Babrak se retournent et voient… un chameau !

— Je m'appelle Kassim. Voulez-vous que je vous aide à traverser le haut plateau ?

— Kassim, tu es notre sauveur ! répond Plume.

Et nos deux compères de grimper prestement sur le dos du chameau. À peine ont-ils pris place dans la douce et chaude fourrure que Kassim démarre au trot en lançant :

— Et en avant pour le pays des tigres !

Plus ils avancent, plus Babrak est agité. Il garde la truffe au vent et gigote impatiemment.

Tout à coup, il saute à terre en s'écriant :

– C'est ici ! C'est ici, chez moi !, et il disparaît. Plume et Kassim éclatent de rire.

– Merci de tout cœur, cher Kassim. Viens donc me rendre visite au pôle Nord, dit Plume à toute vitesse avant de partir en courant pour ne pas perdre la trace de Babrak.

– Dans mon pays, il n'y a pas autant de montées et de descentes, dit Plume à bout de souffle.

– Tiens bon, petit ours polaire ! lui crie Babrak pour l'encourager. Nous sommes bientôt arrivés.

– Hé ! Petit ours blanc ! crie un pic du haut de sa branche. Fais attention ! Ici, c'est un nid à grands tigres. C'est dangereux de…

Plume entend alors un bruissement et se retourne, effrayé.

Devant lui se dressent deux énormes tigres.

Mais ensuite, il aperçoit entre eux Babrak qui lui fait signe.

– Maman, papa, je vous présente mon ami Plume, dit le petit tigre.

– B-b-bon-j-j-jour, bégaye Plume, encore sous le coup de l'émotion.

– N'aie pas peur, petit ours polaire, dit la maman tigre. Tu es l'ami de Babrak.
Nous ne te ferons aucun mal.

Lorsque Plume et Babrak ont fini de conter leurs aventures, le papa tigre
regarde Plume avec beaucoup de gentillesse et lui dit :

– Plume, nous te remercions du fond du cœur pour ton aide. Maintenant, je
vais te ramener chez toi et Babrak peut nous accompagner.

– Oh, chouette, alors ! s'exclame Plume. Comme ça, je vais pouvoir montrer la
mer à Babrak. Vous verrez, je connais un coin magnifique !

Le retour est beaucoup plus rapide car le papa tigre ne fait pas de grand
détour comme Plume et Babrak.

Au bout du voyage, Plume, tout fier, leur montre la mer.

Babrak la contemple, émerveillé.

– Je n'ai jamais rien vu d'aussi beau, déclare-t-il.

– Enfin, te voilà, Plume ! s'exclame une voix grave au loin.

Plume court à la rencontre de son papa.

– Papa, viens voir ! Regarde ! Voici mon ami Babrak.

Le papa tigre et le papa ours se retrouvent bientôt face à face. Cette fois, c'est
le cœur du grand tigre qui se met à battre très fort. « Ça alors ! Il est aussi
grand que moi » pense-t-il.

Mais les papas s'habituent vite l'un à l'autre. Seulement, il est déjà temps de
se dire au revoir.

– À bientôt ! dit Plume.

– C'est vrai, nous connaissons le chemin, à présent ! répond Babrak. Et ils se
poussent doucement avec leur museau. Plume fait signe jusqu'à ce que la
dernière rayure de Babrak ait disparu de l'horizon.

Depuis ce jour-là, Plume ne trouve plus jamais la mer ennuyeuse.

Parfois, il se dit même tout bas : « Je n'ai jamais rien vu d'aussi beau ! »

Hans de Beer

POURQUOI LES OURS BLANCS ONT LE MUSEAU NOIR

 u pays des ours polaires, tous les ours sont blancs. Dans ce monde fait de glace et de neige, il n'y a rien à des kilomètres à la ronde : pas un arbre, pas un buisson, tout au plus un igloo. Et ça aussi, c'est fait de neige.

Pas étonnant, dans ces conditions, qu'un ours blanc s'ennuie de temps en temps. Alors, il se met à chercher. Et pendant des jours, il parcourt lourdement les étendues infiniment vastes et blanches. Où que se porte son regard, tout est blanc.

Et pourtant, un jour, l'ours blanc reprend courage.

Il a aperçu un point noir !

L'ours blanc court, court et le point noir se rapproche et devient de plus en plus gros. Jusqu'à ce que l'ours blanc se retrouve enfin face à une ourse blanche ! Tous deux grognent de plaisir. Ils soulèvent leurs énormes pattes et s'enlacent tendrement.

Puis ils se dandinent doucement, comme s'ils entendaient une musique mystérieuse. Et leurs têtes se balancent. De loin, on peut ainsi voir dans l'immensité blanche deux museaux noirs qui dansent.

Winfried Wolf

L'OURS POLAIRE

Au jardin zoologique,
l'ours fait chaque jour sa gymnastique.

Un tour de tête à droite avec délicatesse,
un tour de tête à gauche, toujours en souplesse.

Petits et grands observent la scène
et se demandent, tout intrigués :
en dodelinant ainsi de la tête
à quoi l'ours peut-il bien penser ?

Josef Guggenmos

PETIT CONTE D'ANNIVERSAIRE

– Ah ! tu sais quoi, la lune ?... soupira le petit ours. Je ne me sens vraiment pas bien, aujourd'hui. J'ai mal au ventre, j'ai mal à la tête et en plus j'ai froid. Je crois que je préfère rentrer dans ma tanière.

– Tu ne veux pas que je te raconte d'histoire, ce soir ? demanda la lune.

– Non, répondit le petit ours.

– Dommage, fit la lune. Alors je suppose que ça ne t'intéresse pas non plus de savoir qui j'ai rencontré aujourd'hui, qui m'a demandé des nouvelles du petit ours.

– Qui donc ? demanda le petit ours.

– Va plutôt te coucher, dit la lune. Tu iras certainement mieux demain.

– Oh, mais je me sens déjà mieux maintenant, affirma le petit ours. Allez, raconte !

– C'est le lapin, commença la lune. En fait, c'était son anniversaire aujourd'hui. Pourtant, il était tout triste parce que son ami le petit ours n'était pas allé le voir et n'avait pas apporté de cadeau. Il n'avait rien fait du tout.

– C'est le contraire ! hurla le petit ours. C'est exactement le contraire ! C'était mon anniversaire à moi aujourd'hui et le lapin n'est pas venu et personne d'autre non plus, d'ailleurs.

– Surpriiise ! gloussa le renard en apparaissant de dessous la table.

Puis le blaireau sortit de la forêt en chantant pour le petit ours. Et très loin, là-bas, le lapin traversait la prairie en sautillant.

– Voilà le lapin ! Vite ! Il faut que j'aille chercher son cadeau, s'exclama le petit ours.

– Joyeux anniversaire ! s'écria le lapin en arrivant. J'ai quelque chose pour toi…

– Moi aussi… répondit le petit ours. Chacun déballa son cadeau.

– Ça alors, toi aussi, tu as fait un dessin de moi ! firent-ils en chœur.

Et tout le monde éclata de rire. Les amis s'installèrent alors autour de la grande table pour fêter l'anniversaire du lapin et du petit ours… sous le regard complice de la lune.

Rolf Fänger

PETIT OURS, JE TE SOUHAITE...

rôle de journée pour Petit Ours. C'est son anniversaire. Et pourtant, aujourd'hui, quelque chose ne tourne pas rond.

Où est donc papa ? Et où sont ses frères et sœurs ? Et tous ses amis ?

Seule sa maman lui a souhaité un bon anniversaire, ce matin. Les autres l'auraient-ils oublié ? Assis au bord du fleuve, il regarde fixement l'eau d'un air triste.

Soudain, il entend sa maman l'appeler :

– Viens un peu, Petit Ours. Il y a une surprise pour toi.

Maman l'attend dans la clairière avec un gâteau d'anniversaire. Et autour d'elle sont rassemblés tous ceux qui manquaient à Petit Ours. Maman fait un gros, gros câlin à son petit trésor et lui murmure :

– Je te souhaite d'être l'ours le plus heureux du monde.

Puis elle entonne la chanson d'anniversaire et tout le monde lui emboîte le pas : son papa, ses grands-parents, son amoureuse, son grand frère, sa petite sœur et son meilleur ami.

Et chacun d'entre eux a un vœu spécial à adresser au Petit Ours à l'occasion de son anniversaire.

– Je te souhaite d'avoir beaucoup d'amis fidèles, dit son grand frère en lui donnant une tape amicale.

– Je souhaite que le soleil brille tous les jours pour toi, dit son amoureuse en le serrant dans ses bras.

– Je te souhaite d'attraper une montagne de poissons lors de la prochaine pêche au saumon, dit Papa Ours en le faisant tournoyer dans les airs.

– Je te souhaite d'avoir tous les jours beaucoup de temps pour jouer… surtout avec moi ! dit sa petite sœur d'un air malicieux.

– Je te souhaite d'avoir une épaisse fourrure pour sortir indemne de nos futures bagarres, lance son meilleur ami qui s'était approché de lui par derrière à pas feutrés.

– Je te souhaite d'avoir le plus fin des odorats pour pouvoir flairer de loin tout ce que tu aimes manger, dit sa grand-mère en l'embrassant bien fort.

– Je te souhaite d'hiberner long-temps, profondément et paisible-ment, dit son grand-père, tou-jours fatigué.

– Et maintenant, tu peux souffler tes bougies et faire toi-même un vœu, dit Maman Ours. Mais que peut-il encore désirer ? Les autres lui ont déjà souhaité tout ce dont on peut rêver : beaucoup d'amis fidèles, du soleil chaque jour, une montagne de poissons à la prochaine pêche au saumon, une épaisse fourrure, une odorat très fin, un long et profond sommeil hibernal et tout le bonheur du monde.

Le petit ours ferme alors les yeux et souffle aussi fort qu'il le peut en pensant très fort : « Je souhaite que tous mes anniversaires soient aussi beaux que celui-ci. »

Marcus Pfister

SEPT PETITS OURSONS

Sept petits oursons
Trottinaient, trottinaient
À travers la forêt
En se tenant gentiment
Par les pattes de devant.

Sept petits chatons
Au bord du ruisseau
Cherchaient une façon
De traverser l'eau.

Rejoindre l'autre rive
Les effrayait tant
Qu'ils fermèrent les yeux
Du plus petit au plus grand.

Alors les sept oursons
Prirent les sept chatons
Sur leur dos
En disant : nous sommes costauds,
Pour nous, c'est rien de franchir l'eau !

Arrivés de l'autre côté,

Les sept chatons,

C'est de bon ton,

Remercièrent les sept oursons.

De rien, voyons, répondirent-ils

Tout en pensant, sans l'avouer :

Si nous les ours n'existions pas,

Il faudrait nous inventer !

Josef Guggenmos

LE NOUNOURS DE HUGO CROIT AUX FANTÔMES

Hugo n'avait aucune envie de jouer cet après-midi-là, il faisait très chaud. La sueur faisait boucler les mèches de cheveux de sa nuque. Le soleil n'était pourtant plus là : il s'était éclipsé en cachette. Bizarre ! On aurait dit que quelqu'un avait recouvert le ciel d'une couverture poussiéreuse d'un gris jaunâtre.

– Il va certainement y avoir un orage, dit papa pendant le dîner.

Hugo mâchonnait sa tartine sans envie.

Puis il alla se coucher avec Nounours sans rouspéter ! Incroyable !

À un moment donné, au beau milieu de la nuit, un éclair aveuglant déchira le ciel. Hugo fut réveillé en sursaut. L'espace d'une seconde, la chambre fut claire comme en plein jour. Le cœur d'Hugo se mit à battre beaucoup plus vite que d'habitude. L'orage éclatait ! D'abord, on entendit un grondement, puis un coup de tonnerre assourdissant et terrifiant. Hugo serra Nounours tout contre lui. Suivirent un nouvel éclair et un autre coup de tonnerre, et encore et encore ! C'en était trop !

Hugo sauta hors de son lit sans prendre le temps de chausser ses pantoufles, et il courut aussi vite qu'il put dans la chambre de papa et maman.

– Oh ! Voyons, Hugo ! soupira maman en découvrant son petit bonhomme en pyjama avec Nounours dans les bras. Il était là, pieds nus, tout ébouriffé et surtout terrifié.

– Nounours a vraiment trop peur des fantômes qui sont là dehors, expliqua Hugo. Sa voix tremblait un peu.

– Oh ! Allez, Nounours ! dit papa d'un ton réconfortant, c'est juste un orage !

– Ça, je l'ai déjà dit à Nounours, fit Hugo. Seulement, il croit que…

C'est alors qu'il y eut un nouvel éclair, suivi d'un violent coup de tonnerre.

Hugo tressaillit, puis d'un bond grimpa dans le lit pour se glisser sous les couvertures avec Nounours entre papa et maman. Il s'apaisa.

– Et que croit-il donc, Nounours ? demanda maman en lançant un sourire à papa.

– Il dit que tout là-haut, les fantômes du ciel ont une terrible dispute. Ils sont gigantesques et tout noirs et affreusement laids ! Et ils se hurlent dessus si fort qu'on peut les entendre de partout. Et en plus, ils se frappent et ils se battent ! Et c'est horriblement dangereux ! Et le pire, c'est que quand ils sont vraiment furieux, ils crachent du feu ! Et ça tombe jusque sur la terre. Et surtout, si jamais on se retrouve au milieu d'une de ces disputes, paf ! on reçoit un coup ! Et ça, ça doit faire très, très mal ! En tout cas, c'est ce que pense Nounours.

Un nouveau coup de tonnerre fit disparaître un instant Hugo et Nounours à l'abri des couvertures... un très court instant !

– Dis, papa ! demanda Hugo. Tu veux bien expliquer à Nounours ce qui se passe vraiment dans le ciel ? Toi, il te croira sûrement !

Cette fois, ce fut papa qui fit un clin d'œil à maman.

– Bon, d'accord ! Mais alors, écoute-moi bien, petit Nounours ! Il ne faut pas avoir peur des orages. En tout cas, pas quand on est à la maison. Quant à l'éclair et au tonnerre, ils n'ont absolument aucun rapport avec des fantômes. Ils s'occupent de faire partir la chaleur étouffante. Et ça, c'est vraiment bien ! Attends une minute ! Tu entends ?

Dehors, la pluie tambourinait sur le toit. L'orage s'éloignait.

– Tu vas voir, petit ours !... Viens Hugo, tous les deux, on va aller ouvrir bien grand la porte de la terrasse. Comme ça, l'air qui vient d'être lavé et rafraîchi pourra rentrer. Prends Nounours avec toi ! Il n'a certainement plus peur, maintenant.

– Non, il n'a plus peur, constata Hugo. En donnant la main à papa, les deux amis osèrent même sortir sur la terrasse plongée dans l'obscurité. On entendait des clapotis… mais plus aucun bruit de fantôme.

Un bon moment après, Hugo et Nounours, rassurés, grimpaient dans leur lit. Maman les borda et caressa les deux têtes ébouriffées.

– Maman, tu ne crois pas, toi aussi, que les fantômes se sont réconciliés ? demanda une petite voix ensommeillée au milieu des coussins.

– Mais, bien sûr, mon gros nounours, répondit maman avec un sourire complice. Jusqu'à la prochaine fois. Je le sais, moi : les nounours croient aux fantômes.

Inge Thoma

J'AIMERAIS TANT...

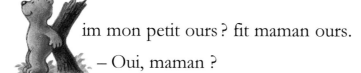im mon petit ours ? fit maman ours.

— Oui, maman ?

— Tu ne dors toujours pas ? demanda maman ours.

— Non, maman. Je n'y arrive pas.

— Pourquoi ? s'enquit maman ours.

— Je pense à tout ce qui me ferait plaisir, expliqua le petit ours. J'aimerais tant sillonner le monde, assis sur un nuage.

— Ça, c'est impossible, mon chéri, répondit-elle.

— Alors, j'aimerais tant qu'un grand bateau vienne, continua Kim, et que les gens sur le bateau me crient : *Monte à bord ! Monte ! Nous allons appareiller ! Allez, viens ! Viens avec nous !*

— Ça aussi, c'est impossible, mon chéri, dit maman ours.

— Alors, j'aimerais tant découvrir un tunnel qui va jusqu'en Chine, fit Kim. Et pour te faire plaisir, j'irais là-bas et je nous ramènerais des baguettes.

— Mais ça aussi, c'est impossible, mon chéri, répondit sa maman.

— Alors, j'aimerais tant avoir une grosse voiture rouge, dit le petit ours. Je la conduirais à toute allure et j'arriverais devant un grand château. Et la fille du roi en sortirait et me demanderait : *Veux-tu un morceau de gâteau, mon petit ours?* Et j'irais manger du gâteau avec elle.

— Mais ça aussi, c'est impossible, mon chéri, répondit maman ours.

— Alors, dis Kim, j'aimerais tant qu'une maman ours vienne près de moi et me propose de me raconter une histoire.

– Bon, d'accord, dit maman ours. Ça, c'est possible. C'est un souhait réaliste.

– Merci, maman, ça fait longtemps que j'en ai envie.

– Et qu'est-ce que tu voudrais, comme histoire ? demanda maman ours.

– Raconte quelque chose sur moi, répondit Kim. Parle-moi de ce que je faisais quand j'étais petit.

– Bon, d'accord. Un jour, tu as joué dans la neige et avant d'y aller, tu as réclamé des bottes fourrées.

– Ah, oui ! Ça, c'était amusant, dit le petit ours. Raconte encore autre chose…

– Bon, d'accord, fit maman ours. Un jour, tu as enfilé un casque de pilote et tu as joué à être un astronaute qui va sur la Lune.

– Ça aussi, c'était amusant, dit le petit ours. Et quoi encore ?

– Bon, d'accord, dit maman ours. Une autre fois, tu t'es imaginé que tu n'aurais pas de gâteau d'anniversaire… alors, tu as cuisiné une soupe d'anniversaire.

– Oui ! Ça, c'était amusant ! s'écria Kim. Et après, toi, tu m'as apporté mon gâteau d'anniversaire. Tu penses toujours à me faire plaisir.

– Eh bien, maintenant, dit maman ours, toi aussi, tu peux me faire plaisir, si tu veux.

– Ah, bon ! Mais comment ? demanda le petit ours.

– En passant une bonne nuit, répondit sa maman.

– D'accord, je m'endors tout de suite ! dit Kim. Bonne nuit, maman chérie.

– Bonne nuit, mon ourson chéri. Fais de beaux rêves.

Else Holmelund Minarik

LA GRANDE ET LA PETITE OURSE

Là-haut dans le pré céleste, la Grande Ourse tourne et danse ;
Et malgré ses lourdes pattes, sait respecter la cadence.

Elle a une petite fringale et une grosse envie de miel,
Mais des abeilles en fabriquent-elles sur les étoiles du ciel ?
Va donc plutôt faire un tour, direction la Voie lactée
Pour laper un peu de crème avec volupté.

Tiens, tiens ! Qui joue là sur la voie ?
C'est notre Petite Ourse !
S'amusant avec son chariot à faire la course.

Mais soudain la Lune gronde : *Arrêtez ce raffut !*
La Petite Ourse et la Grande Ourse sont à leur place et ne bougent plus.

Barbara Cratzius

IL EST TEMPS D'HIBERNER, PETIT OURS !

Boris, le petit ours brun, joue dans le jardin et s'amuse follement.

Il se roule dans les feuilles multicolores tombées des arbres.

– Ohé, Boris ! lui crie l'écureuil. Tu ne vois donc pas que l'hiver s'annonce ? Tu es un ours. Tu dois dormir en hiver, non ?

Sur ce, Boris rentre chez lui. C'est vrai, il est temps d'aller se coucher. Boris soupire :

– Pfff ! Mais je ne suis pas du tout prêt, moi ! Mon lit n'est pas encore fait et je dois encore ranger ! En plus… la souris est toujours dans mes pattes !

Boris va dans la cuisine. « Avant d'aller dormir, il faut encore que je mange quelque chose, se dit-il. J'ai un peu faim. »

– Eh là ! Pas touche ! s'écrie la souris. Ce miel est à moi !

– Quelle gloutonne ! pense Boris, mais il demande poliment :

– Pourrais-je au moins avoir le reste de sirop de pissenlit ?

– J'ai failli oublier ! s'exclame Boris. Je dois construire un abri dans le jardin pour y mettre de la nourriture pour mes amis pendant l'hiver. Chose promise, chose due ! Et il faut que je le fasse avant d'aller dormir.

– Ohé, Boris ! C'était le vieux loup. Il se tenait de l'autre côté de la barrière, une corbeille pleine de bonnes choses au bras.

– As-tu encore besoin de provisions pour l'hiver ? J'ai ici un délicieux gâteau et du beurre tout frais.

– Je n'ai besoin de rien, répondit Boris. Et il se remit au travail en toute hâte.

– Oh là là ! dit Boris. Maintenant, il faut vraiment que j'aille dormir. Mais avant, je veux encore écrire un petit mot à mes amis. Je ne les reverrai plus avant longtemps !

Il commence par écrire à la souris :

> Chère souris,
> J'ai le plaisir de t'inviter à ma fête de printemps.
> Bisous, Boris

L'écureuil et la souris sont déjà en train de décorer le sapin de Noël.

– Je sais, dit Boris, il est grand temps que j'aille dormir. Mais d'abord, je préfère appeler l'institut météorologique. Qui sait, il va peut-être faire très froid, cet hiver ! Si c'est le cas, je dois enfiler des chaussettes bien chaudes et ressortir mon pyjama en pilou pour ne pas avoir froid au lit. Bon, après ça, je file hiberner sans faute. Et… euh… mettez bien mes cadeaux de Noël de côté. Peut-être que quelqu'un m'offrira un pot de miel. La souris a tout englouti !

Hmm! Enfin au lit! Boris se frotte les yeux.

– La porte est fermée, je me suis brossé les dents. Comment se fait-il que je n'arrive pas à m'endormir ? Et si je comptais les moutons :

> *Un mouton, deux moutons, trois moutons*
>
> *Le quatrième gambade sur le gazon.*
>
> *Cinq moutons, six moutons, sept moutons*
>
> *Le reste du troupeau broute des chardons.*
>
> *Huit moutons, neuf moutons, dix mou...*

Non, ça ne m'aide pas !

La lune brille dans le ciel. Un de ses rayons tombe juste sur le nez de Boris et le chatouille. Le petit ours se lève une fois de plus et va regarder par la fenêtre. La nuit est sombre mais un croissant de lune l'illumine et elle est parsemée d'étoiles d'or.

– Bonne nuit ! murmure Boris. Bonne nuit, très chère lune. Dis, toi tu ne tomberas pas du ciel pendant que j'hibernerai ?

Et la lune de lui répondre tout bas, si bas que seuls les petits ours peuvent l'entendre :

> *Petit ours, ne t'inquiète pas*
> *Toutes les nuits je serai là.*
> *Et n'oublie pas qu'avec moi veillent*
> *Des milliers d'étoiles sur ton sommeil :*
> *Tu peux dormir sur tes deux oreilles !*

Boris adresse un dernier signe à la lune puis s'en va se blottir sous sa couverture. Cette fois, il ne tarde pas à s'endormir profondément. Dors bien, petit ours.

Claude Helft

PETIT OURS SAUVE LA LUNE

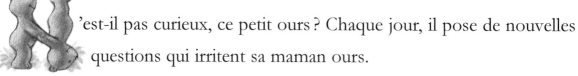'est-il pas curieux, ce petit ours ? Chaque jour, il pose de nouvelles

questions qui irritent sa maman ours.

– Pourquoi les framboises sont-elles rouges et les mûres noires ?

– Pourquoi fait-il clair le jour et obscur la nuit ?

– D'où vient le fleuve argenté et où va-t-il ?

– Pfff, petit ours ! soupire alors sa maman ours. Et il comprend qu'il

n'obtiendra pas de réponse.

Un soir, le petit ours n'arrive pas à s'endormir. Il a mangé beaucoup trop de mûres au dîner et maintenant, elles font gargouiller son ventre !

Il décide d'aller observer le ciel. Quelques jours plus tôt, sa maman ours lui a pour la première fois montré l'infini manteau noir de la nuit, ses milliers d'étoiles et sa gardienne, la bonne lune argentée, ronde comme une boule. Elle voyage dans le ciel et veille sur les étoiles… et sur les petits ours, afin qu'ils puissent dormir à poings fermés. Le petit ours se met à scruter le ciel avec curiosité à travers la crevasse du plafond rocheux de la tanière. Voilà les étoiles. Et voilà la gardienne lune.

Mais !… le petit ours se frotte les yeux. Ce n'est pas possible !

Le petit ours se précipite hors de sa chambre :

– Maman ! Maman ! La lune n'est plus toute ronde ! Elle a rétréci ! Qu'est-ce qui se passe ?

Pfff, petit ours ! soupire sa maman ours, comme tant de fois. Et comme tant de fois, le petit ours n'obtient pas de réponse. Au lieu de cela, sa maman va le remettre au lit et lui chante une berceuse, ce qui endort, pour finir, le petit ours.

Le lendemain, le petit ours passe beaucoup de temps à réfléchir. Comme d'habitude, il frotte son pelage contre son arbre préféré. Songeur, il fixe les touffes de poils accrochées à l'écorce brute.

C'est peut-être la même chose pour la lune. Peut-être qu'elle a juste perdu de sa couleur argentée en se grattant. C'est vrai, après tout, elle n'a pas tellement rétréci. « Allons, ce n'est pas si grave », se dit le petit ours qui attend la nuit avec impatience.

Ça, c'est vraiment trop bête ! Ce soir, une épaisse couche de nuages cache la lune. Mais dans ses rêves, le petit ours la voit. Il voit la lune frotter son dos rond contre un énorme arbre du ciel.

Le petit ours est rassuré. Le petit bout d'argent qui manque va sûrement repousser. Après tout, il en va de même pour son pelage.

Mais à la première nuit claire, le petit ours est saisi d'effroi en regardant par la crevasse. Oh, non ! La lune a encore rétréci. Et comme elle est courbée ! Comme elle se traîne dans le ciel ! Une pensée terrifiante germe alors dans son esprit : la pauvre lune est certainement malade, gravement malade ! Affolé, il va confier ses soucis à sa maman.

– Et si la lune n'a pas de maman pour lui préparer un thé au miel bien chaud ? Pour lui chanter des berceuses et lui donner de l'amour ?

Le petit ours a tant de peine pour la pauvre lune.

– Et si elle ne guérissait jamais ? murmure-t-il, en n'osant pas penser aux conséquences.

Maman ours prend alors son petit tout malheureux dans ses bras et le serre très fort. Cette fois, elle a une réponse à lui donner. Une réponse qui console.

– Ne t'en fais pas, mon petit ours. La fée de la nuit veille sur la lune d'argent. Elle en prend soin, tu sais, parce qu'elle l'aime.

– Ah bon ! D'accord… Apaisé, le petit ours finit par s'endormir au son de la berceuse que lui chante sa maman.

Cette nuit-là, quelque chose d'extraordinaire se produit ! La fée de la nuit rend visite au petit ours ! C'est la première fois qu'il la voit. Pourtant, il en est sûr : cette magnifique apparition dans un halo parsemé d'étoiles, c'est elle !

– Bonsoir, petit ours. Quelle voix douce ! C'est très gentil de ta part de te soucier ainsi de notre bonne gardienne de la nuit. Pour t'en remercier, je t'accorde un vœu. Mais il faut que ce soit un vœu pour la nuit. Je n'ai pas le pouvoir d'exaucer les vœux pour le jour.

Voilà le petit ours presque aussi radieux que les étoiles scintillant autour de la fée.

– Ça ne fait rien ! De toute façon, c'est un vœu pour la nuit que je souhaite formuler. S'il vous plaît, je vous en conjure, faites que la lune guérisse et qu'elle redevienne ronde et pleine.

La fée de la nuit sourit.

– C'est un joli vœu, petit ours. Je l'accomplirai avec plaisir. Cependant, il faudra être un peu patient. Le petit ours ne comprend pas très bien pourquoi mais l'essentiel, c'est que grâce à son vœu, il puisse aider la lune. Lui, le petit ours !

Au cours des nuits suivantes, le petit ours, impatient, se fâche contre les nuages. Ces cornichons bouchent le ciel et ne laissent même pas entrapercevoir le moindre point lumineux !

Arrive enfin une nuit où le ciel est illuminé par les étoiles… et par la belle lune ! C'est vrai, elle n'est pas encore parfaitement ronde. Mais maintenant, le petit ours comprend les paroles de la fée : ce n'est que peu à peu que la lune redevient pleine ! Et voilà ! Nuit après nuit, la lune s'arrondit. Quelle joie pour le petit ours ! Comme il est fier ! S'il n'avait pas été là ! Euh… et la fée de la nuit aussi, bien sûr.

Et lorsque après quelques nuits, la lune à nouveau rétrécit, le petit ours ne s'inquiète plus. Car il le sait, à présent : il ne faut pas avoir peur, très chère lune. Tu redeviendras ronde et pleine. Puisque tel était mon vœu !

Inge Thoma

122

LA VEILLÉE DE NOUNOURS

Marchand de sable, j'aimerais te voir

Lorsque tu passes chez nous le soir,

Quand la brise souffle tout doucement

Sur les étoiles au firmament.

Nounours à la fenêtre, attention !

Ne t'endors pas, le temps sera long.

Dès qu'il arrive, réveille-moi.

C'est important, je compte sur toi !

Mais Nounours, après une heure de veille

S'assoupit : il avait trop sommeil.

C'est raté ! Personne ne m'a sorti du lit.

Le marchand de sable, l'as-tu déjà surpris ?

Barbara Cratzius

SOURCES

Martin Baltscheit · *Frühlingsbär und Winterbiene*, © de l'Auteur.

Hans de Beer · *Kleiner Eisbär kennst du den Weg?*, © 1996 Nord-Süd Verlag AG, Gossau Zürich.

Kirsten Boie · *Bärenmärchen, Auszug aus gleich lautendem Titel*, © 1999 Verlag F. Oetinger, Hamburg.

Barbara Cratzius · « Teddys Nachtwache, Vom großen und vom kleinen Bären », extrait de *Mein Betthupferlbuch*, © 1997 Loewe Verlag, Bindlach

Rolf Fänger · « Honigbaumgeschichte, Geburtstagsgeschichte », extrait de : *Der Mondbär sagt dir Gute Nacht*, © 1999 Coppenrath Verlag, Münster

Alexandra Fischer-Hunold · *Der Braunbär in der Badewanne*, © de l'auteur.

Sally Grindley · « Der Bär, der viel zu groß war, Der Bär, der keine Locken wollte » extrait de : *Das dicke Bärenbuch – Bettkantengeschichten zum Vorlesen*, © 1994 pour l'édition allemande de Coppenrath Verlag, Münster, Édition originale parue sous le titre : *Teddy Tales*, © 1995 Orchard Books, London (UK).

Josef Guggenmos · *Das Bärenarzneibuch*, © de l'auteur.

Josef Guggenmos · *Sieben kleine Bären, aus : Oh, Verzeihung sagte die Ameise*, © 1990 Beltz Verlag, Weinheim und Basel, Programm Beltz & Gelberg, Weinheim.

Josef Guggenmos · « Der Eisbär », extrait de : *Was denkt die Maus am Donnerstag?*, © 1998 Beltz Verlag, Weinheim und Basel, Programm Beltz & Gelberg, Weinheim

Claude Helft · *Wann gehst du schlafen, kleiner Bär?*, © 1995 Brunnen Verlag, Giessen.

Sigrid Heuck · *Die Teddybär-Geschichte*, © de l'auteur.

Else Holmelund Minarik · *Was der kleine Bär sich wünscht*, © 16ème impression 1997 Patmos Verlag GmbH & Co. KG/Sauerländer Verlag, Düsseldorf.

Tilde Michels · « Das Märchen vom Wanderbären », extrait de *Gustav Bär erzählt Gute-Nacht-Geschichten*, © 1980 Edition Benziger im Arena Verlag GmbH, Würzburg.

Frauke Nahrgang · « Ein Lied für Mama Bär », extrait de : *Frauke Nahrgang – Geschichtenspaß für 3 Minuten*, © 2001 Edition Bücherbär im Arena Verlag GmbH, Würzburg.

Marcus Pfister · *Kleiner Bär, ich wünsch dir was*, © 1999 Nord-Süd Verlag, Gossau Zürich.

Mathew Price · *Bären schwimmen nicht, aus: Geschichten für die Kleinsten*, © 2000 Coppenrath Verlag, Münster, pour l'édition allemande. Édition originale parue sous le titre *Stories for the Very Young*, © 1999 Mathew Price Limited, Dorset (UK).

Jürg Schubiger · « Ein Bärenjahr », extrait de *Schubiger/Berner, Wo ist das Meer*, © 2000 Beltz Verlag, Weinheim und Basel, Programm Beltz & Gelberg, Weinheim.

Inge Thoma · *Tommys Teddy glaubt an Gespenster, Der kleine Bär rettet den Mond*, © de l'auteur.

Ingrid Uebe · *Der kleine Brüllbär ist krank*, © de l'auteur.

Ingrid Uebe · *Das kleine Gespenst und der Bär*, © 1995 Loewe Verlag, Bindlach.

Frantz Wittkamp · « Wenn der Bär nach Hause kommt », extrait de : *Hans-Joachim Gelberg (Hrsg.) – Überall und neben dir*, © 1986 Verlagsgruppe Beltz.

Winfried Wolf · *Warum Eisbären schwarze Nasen haben*, © de l'auteur.

Reiner Zimnik · *Der Bär auf dem Motorrad*, © 1963 Diogenes Verlag AG, Zürich ;

Nous remercions les auteurs et les différentes maisons d'édition pour leur aimable autorisation à la publication de ces histoires.

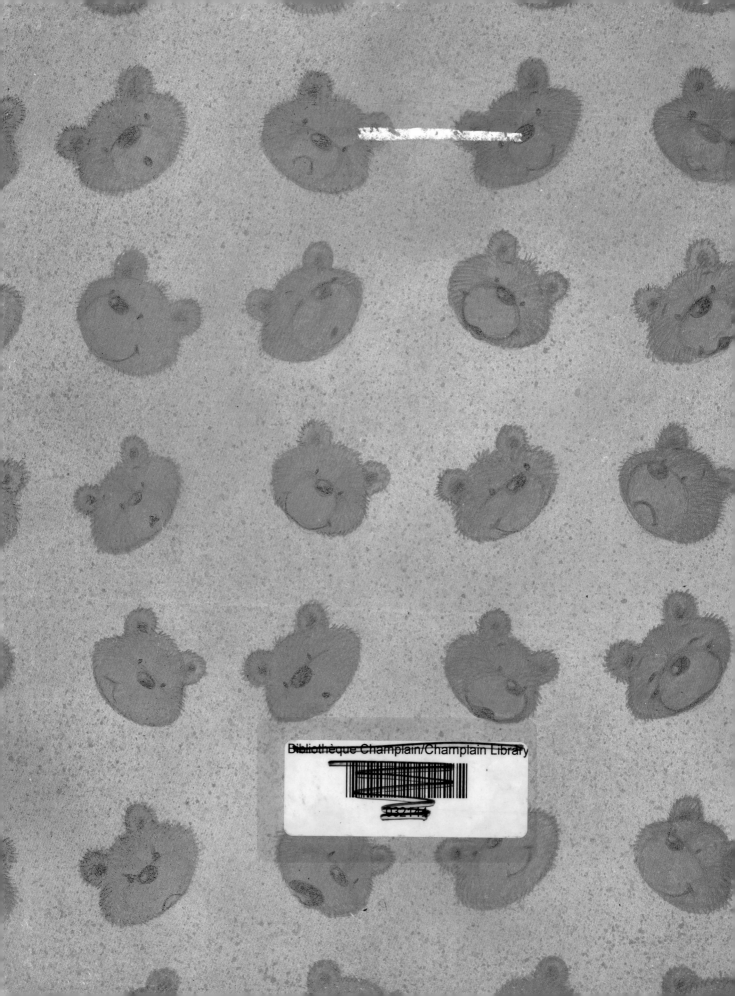